Textos Básicos de Filosofia

Coleção Textos Básicos

Textos básicos de antropologia
Cem anos de tradição: Boas, Malinowski, Lévi-Strauss e outros
Celso Castro

Textos básicos de ética
De Platão a Foucault
Danilo Marcondes

Textos básicos de filosofia
Dos pré-socráticos a Wittgenstein
Danilo Marcondes

Textos básicos de filosofia do direito
De Platão a Frederick Schauer
Danilo Marcondes e Noel Struchiner

Textos básicos de filosofia e história das ciências
A revolução científica
Danilo Marcondes

Textos básicos de linguagem
De Platão a Foucault
Danilo Marcondes

Textos básicos de sociologia
De Karl Marx a Zygmunt Bauman
Celso Castro

Danilo Marcondes

Textos Básicos de Filosofia
dos pré-socráticos a Wittgenstein

15ª reimpressão

ZAHAR

*A Maria Inês e a Danilo, meu filho,
com o amor de sempre*

Copyright © 1999, 2007 by Danilo Marcondes

Alguns textos desta coletânea tiveram sua reprodução gentilmente autorizada pelas respectivas editoras (ver Referências à p.181s.).

Grafia atualizada segundo o Acordo Ortográfico da Língua Portuguesa de 1990, que entrou em vigor no Brasil em 2009.

Capa
Miriam Lerner

CIP-Brasil. Catalogação na publicação
Sindicato Nacional dos Editores de Livros, RJ

M269t	Marcondes, Danilo, 1953- Textos básicos de filosofia: dos pré-socráticos a Wittgenstein / Danilo Marcondes. – 2ª ed. rev. – Rio de Janeiro: Zahar, 2007. Inclui bibliografia ISBN 978-85-7110-520-1 1. Filosofia – Introduções. I. Título.
11-0669	CDD: 100 CDU: 1

Todos os direitos desta edição reservados à
EDITORA SCHWARCZ S.A.
Praça Floriano, 19, sala 3001 – Cinelândia
20031-050 – Rio de Janeiro – RJ
Telefone: (21) 3993-7510
www.companhiadasletras.com.br
www.blogdacompanhia.com.br
facebook.com/editorazahar
instagram.com/editorazahar
twitter.com/editorazahar

Sumário

Apresentação 9

PRÉ-SOCRÁTICOS
11

Poema • As duas vias (Parmênides) 12
Questões e temas para discussão 15

Fragmentos • O mobilismo (Heráclito de Éfeso) 15
Questões e temas para discussão 18

Leituras sugeridas 18

PLATÃO
19

Apologia de Sócrates • O papel do filósofo 20

Críton • Sócrates e as leis de Atenas 23

Protágoras • O mito de Epimeteu: a criação do homem 26

O banquete • O amor 28

Mênon • A reminiscência: a demonstração do teorema de Pitágoras pelo escravo 32

A República • A Alegoria da Caverna 39

Questões e temas para discussão 43
Leituras sugeridas 44

ARISTÓTELES
45

Metafísica • O conhecimento 46
• Crítica aos platônicos 48
• A filosofia 50

Ética a Nicômaco • A virtude é um hábito 52

Tratado da alma • A natureza da alma 54

Política • O homem é um animal político 56

Questões e temas para discussão 57
Leituras sugeridas 58

SANTO AGOSTINHO 59

Confissões
- A cristianização do platonismo 60
- O problema do Mal 62
- Quem é Deus? 63

Questões e temas para discussão 65
Leituras sugeridas 66

SÃO TOMÁS DE AQUINO 67

Suma teológica
- As cinco vias da prova da existência de Deus 67

Questões e temas para discussão 72
Leituras sugeridas 72

DESCARTES 73

Meditações metafísicas
- Das coisas que se podem colocar em dúvida 74
- O argumento do cogito 77

Discurso do método
- A formação do filósofo 79
- As regras do método 82
- A moral provisória 83

Questões e temas para discussão 86
Leituras sugeridas 87

SPINOZA 88

Ética
- De Deus 89
- Da servidão humana 91

Questões e temas para discussão 94
Leituras sugeridas 94

ROUSSEAU 95

Discurso sobre a desigualdade
- A origem da sociedade 96

Questões e temas para discussão 99
Leituras sugeridas 99

HUME
100

Tratado sobre a natureza humana • Sobre a identidade pessoal 100

Uma investigação sobre o entendimento humano • Da origem das ideias 102 • A causalidade 106

Questões e temas para discussão 108
Leituras sugeridas 109

KANT
110

Crítica da razão pura • A filosofia crítica 111 • O conhecimento 116

Fundamentação da metafísica dos costumes • O imperativo categórico 120

Questões e temas para discussão 124
Leituras sugeridas 124

HEGEL
125

Fenomenologia do espírito • A dialética do senhor e do escravo 126

Questões e temas para discussão 133
Leituras sugeridas 134

MARX E ENGELS
135

A ideologia alemã • A crítica à ideologia 136

Questões e temas para discussão 139
Leituras sugeridas 139

NIETZSCHE
140

Sobre a verdade e a mentira em um sentido "extramoral" 141

Além do bem e do mal • Dos preconceitos dos filósofos 145

Assim falou Zaratustra • O super-homem 146

Questões e temas para discussão 148
Leituras sugeridas 148

HEIDEGGER
149

Que é isto — a filosofia? 150

Ser e tempo • A verdade 154

Questões e temas para discussão 161
Leituras sugeridas 161

SARTRE
162

A náusea • O absurdo e a existência 163

Questões e temas para discussão 168
Leituras sugeridas 168

WITTGENSTEIN
169

Investigações filosóficas • Os jogos de linguagem e a concepção de filosofia 170

Questões e temas para discussão 179
Leituras sugeridas 180

Referências dos textos e traduções 181

APRESENTAÇÃO

Pretendi neste volume reunir alguns dos textos mais importantes da tradição filosófica, selecionando em obras clássicas trechos que podem ser considerados os mais representativos. Esses textos foram escolhidos sobretudo porque aí se encontram alguns dos conceitos-chave e dos argumentos centrais formulados pelos filósofos de maior influência nessa tradição.

O objetivo primordial é proporcionar um primeiro contato do estudante com as fontes da filosofia e, apontando sua relevância, levá-lo a uma leitura mais aprofundada da obra original da qual as passagens foram extraídas.

O principal critério que norteou esta seleção de textos foi basicamente o fato de que os venho utilizando, creio que com grande proveito para os alunos, em meus cursos de introdução à filosofia e de história da filosofia ao longo de mais de quinze anos. Certamente outros tantos textos de outros tantos filósofos poderiam ter sido selecionados, igualmente importantes e ilustrativos, mas dificilmente os que aqui se encontram estariam ausentes de qualquer seleção feita com este propósito.

O volume se estrutura da seguinte forma: temos em primeiro lugar uma breve apresentação geral sobre o filósofo cujo texto selecionado se encontra em seguida. Cada texto é precedido, por sua vez, de uma introdução e um comentário, situando-o no contexto da obra do filósofo, destacando sua importância e indicando sua temática central. Fecha cada bloco uma sugestão de questões e temas para discussão relacionados diretamente com o texto. A lista com as fontes de onde as passagens foram extraídas e com os respectivos tradutores encontra-se ao final do volume. Fica aqui o agradecimento às editoras e aos tradutores que gentilmente cederam alguns dos textos aqui reunidos.

Por fim, a meu editor Jorge Zahar, com quem primeiro discuti este projeto, minha homenagem póstuma. A Cristina Zahar, André Telles e Marcela Boechat, o reconhecimento pela contribuição fundamental durante todo o processo de preparação deste livro, sem a qual sua publicação não teria sido possível.

D.M.

PRÉ-SOCRÁTICOS

Os pré-socráticos foram os primeiros pensadores que, nas cidades gregas da Ásia Menor por volta do séc. VI a.C., procuraram desenvolver formas de explicação da realidade natural, do mundo que os cercava, independentemente do apelo a divindades e a forças sobrenaturais. É nesse sentido que dizemos que os filósofos pré-socráticos romperam com a tradição mítica, e é por isso também que denominamos seu pensamento de *naturalista*, por visar explicar a natureza a partir dela própria, entender os fenômenos com base em causas puramente naturais.

Selecionamos alguns textos de dois dos mais importantes filósofos pré-socráticos, Parmênides, fundador da chamada escola eleática, de Eleia, uma colônia grega no sul da Itália; e Heráclito, de Éfeso, uma cidade da Ásia Menor. Parmênides e Heráclito, que foram praticamente contemporâneos, vivendo em torno de 500 a.C., representam já um segundo momento da filosofia pré-socrática, em que o pensamento já é menos naturalista e começa a tender para a abstração conceitual que se desenvolverá em seguida, no período clássico, com Sócrates, Platão e Aristóteles.

Parmênides e Heráclito representam correntes de pensamento rivais na filosofia grega, e o conflito entre essas correntes marcará profundamente a obra de Platão, que procurará superá-lo, de certa forma conciliando as duas posições. Supõe-se que Parmênides desenvolveu seu pensamento, aqui expresso nos fragmentos de um poema, pelo menos em parte, como uma crítica senão diretamente a Heráclito, ao menos à corrente por este representada, os mobilistas, os filósofos que valorizavam o movimento na descrição da realidade.

O pensamento de Parmênides é monista, ou seja, baseia-se em uma concepção de unidade (*monos*) ou totalidade do real para além do movimento, por ele considerado uma característica apenas aparente das coisas. Se o homem seguir a via do pensamento e não a da opinião, mutável e variável, encontrará a verdadeira realidade, a unidade subjacente à diversidade das coisas. É nesse sentido que Parmênides é considerado o filósofo do Ser (*to eon*), da realidade única, subjacente à pluralidade dos fenômenos, sendo visto como um precursor da metafísica.

Heráclito parte do movimento como a questão mais básica em nosso entendimento do real; sua concepção filosófica pode ser considerada *dialética* no sentido de que vê no conflito (*polemos*, frag. 53) entre os opostos a causa do movimento (frags. 8, 10, 31, 49a, 90, 91). Sua visão de realidade é profundamente dinâmica, encontrando a unidade na multiplicidade. Heráclito é também o filósofo do *logos*, cujo sentido em seu pensamento é difícil de precisar, parecendo indicar a racionalidade do real e a possibilidade de explicá-lo.

As obras dos filósofos pré-socráticos se perderam, tendo chegado até nós apenas fragmentos, ou seja, citações de seus pensamentos em obras de filósofos posteriores como Platão, Aristóteles e muitos outros. Sua filosofia é portanto reconstruída a partir dessas citações e paráfrases feitas por outros filósofos, o que torna sua interpretação bastante difícil.

PARMÊNIDES

POEMA
As duas vias

" 1. Os cavalos que me conduzem levaram-me tão longe quanto meu coração poderia desejar, pois as deusas guiaram-me, através de todas as cidades, pelo caminho famoso que conduz o homem que sabe. Por este caminho fui levado; pois por ele me conduziam os prudentes cavalos que puxavam meu carro, e as moças indicavam o caminho.

O eixo, incandescendo-se na maça — pois em ambos os lados era movido pelas rodas gigantes —, emitia sons estridentes de flauta, quando as filhas do sol, abandonando as moradas da noite, corriam à luz, rejeitando com as mãos os véus que lhes cobriam as cabeças.

Lá estão as portas que abrem sobre os caminhos da noite e do dia, entre a verga, ao alto, e embaixo, uma soleira de pedra. As portas mesmas, as etéreas, são de grandes batentes; a Justiça, deusa dos muitos rigores, detém as chaves de duplo uso. A ela falavam com doces palavras as moças, persuadindo-a habilmente a abrir-lhes os ferrolhos trancados. As portas abriram largamente, girando em sentido oposto os seus batentes guarnecidos de bronze, ajustados em cavillhas e chavetas; e através das portas, sobre o grande caminho, as moças guiavam o carro e os cavalos.

    A deusa acolheu-me afável, tomou-me a direita em sua mão e dirigiu-me a palavra nestes termos: Oh! jovem, a ti, acompanhado por aurigas imortais, a ti, conduzido por estes cavalos à nossa morada, eu saúdo. Não foi um mau destino que te colocou sobre este caminho (longe das sendas mortais), mas a justiça e o direito. Pois deves saber tudo, tanto o coração inabalável da verdade bem redonda, como as opiniões dos mortais, em que não há certeza. Contudo, também isto aprenderás: como a diversidade das aparências deve revelar uma presença que merece ser recebida, penetrando tudo totalmente.

2. E agora vou falar; e tu, escuta as minhas palavras e guarda-as bem, pois vou dizer-te dos únicos caminhos de investigação concebíveis. O primeiro [diz] que [o ser] é e que o não-ser não é; este é o caminho da convicção, pois conduz à verdade. O segundo, que não é, é, e que o não-ser é necessário; esta via, digo-te, é imperscrutável; pois não podes conhecer aquilo que não é — isto é impossível —, nem expressá-lo em palavra.

3. Pois pensar e ser é o mesmo.

4. Contempla como, pelo espírito, o ausente, com certeza, se torna presente; pois ele não separará o ser de sua conexão ao ser, nem para desmembrar-se em uma dispersão universal e total segundo a sua ordem, nem para reunir-se.

5. Pouco me importa por onde eu comece, pois para lá sempre voltarei novamente.

6. Necessário é dizer e pensar que só o ser é; pois o ser é, e o nada, ao contrário, nada é: afirmação que bem deves considerar. Desta via de investigação, eu te afasto; mas também daquela outra, na qual vagueiam os mortais que nada sabem, cabeças duplas. Pois é a ausência de meios que move, em seu peito, o seu espírito errante. Deixam-se levar, surdos e cegos, mentes obtusas, massa indecisa, para a qual o ser e o não-ser é considerado o mesmo e não o mesmo, e para a qual em tudo há uma via contraditória.

7. Jamais se conseguirá provar que o não-ser é; afasta, portanto, o teu pensamento desta via de investigação, e nem te deixes arrastar a ela pela múltipla experiência do hábito, nem governar pelo olho sem visão, pelo ouvido ensurdecido ou pela língua; mas com a razão decide da muito controvertida tese, que te revelou minha palavra.

8. Resta-nos assim um único caminho: o ser é. Neste caminho há grande número de indícios; não sendo gerado, é também imperecível; possui, com efeito, uma estrutura inteira, inabalável e sem meta; jamais foi nem será, pois é, no

instante presente, todo inteiro, uno, contínuo. Que geração se lhe poderia encontrar? Como, de onde cresceria? Não te permitirei dizer nem pensar o seu crescer do não-ser. Pois não é possível dizer nem pensar que o não-ser é. Se viesse do nada, qual necessidade teria provocado seu surgimento mais cedo ou mais tarde? Assim pois, é necessário ser absolutamente ou não ser. E jamais a força da convicção concederá que do não-ser possa surgir outra coisa. Por isto, a deusa da Justiça não admite, por um afrouxamento de suas cadeias, que nasça ou que pereça, mas mantém-no firme. A decisão sobre este ponto recai sobre a seguinte afirmativa: ou é ou não é. Decidida está, portanto, a necessidade de abandonar o primeiro caminho, impensável e inominável (não é o caminho da verdade); o outro, ao contrário, é presença e verdade. Como poderia perecer o que é? Como poderia ser gerado? Pois se gerado, não é, e também não é se devera existir algum dia. Assim, o gerar se apaga e o perecimento se esquece.

Também não é divisível, pois é completamente idêntico. E não poderia ser acrescido, o que impediria a sua coesão, nem diminuído; muito mais, é pleno de ser; por isto, é todo contínuo, porque o ser é contíguo ao ser.

Por outro lado, imóvel nos limites de seus poderosos liames, é sem começo e sem fim; pois geração e destruição foram afastadas para longe, repudiadas pela verdadeira convicção. Permanecendo idêntico e em um mesmo estado, descansa em si próprio, sempre imutavelmente fixo e no mesmo lugar; pois a poderosa necessidade o mantém nos liames de seus limites, que o cercam por todos os lados, porque o ser deve ter um limite; com efeito, nada lhe falta; fosse sem limite, faltar-lhe-ia tudo.

O mesmo é pensar e o pensamento de que o ser é, pois jamais encontrarás o pensamento sem o ser, no qual é expressado. Nada é e nada poderá ser fora do ser, pois Moira o encadeou de tal modo que seja completo e imóvel. Em consequência, será (apenas) nome tudo o que os mortais designaram, persuadidos de que fosse verdade: geração e morte, ser e não-ser, mudança de lugar e modificação do brilho das cores.

Porque dotado de um último limite, é completo em todos os lados, comparável à massa de uma esfera bem redonda, equilibrada desde seu centro em todas as direções; não poderia ser maior ou menor aqui ou ali. Pois nada poderia impedi-lo de ser homogêneo, nem aquilo que é não é tal que possa ter aqui mais ser do que lá, porque é completamente íntegro; igual a si mesmo em todas as suas partes, encontra-se de maneira idêntica em seus limites.

Com isto ponho fim ao discurso digno de fé que te dirijo e às minhas reflexões sobre a verdade; e a partir deste ponto aprende a conhecer as opiniões dos mortais, escutando a ordem enganadora de minhas palavras.

> **QUESTÕES E TEMAS PARA DISCUSSÃO**
>
> 1. Em que sentido, a partir do texto, podemos entender o caráter monista da filosofia de Parmênides?
> 2. Como Parmênides caracteriza o caminho da verdade por oposição ao caminho da opinião?
> 3. Qual o sentido da distinção entre realidade e aparência em Parmênides?
> 4. Comente o fragmento 3: "Pois pensar e ser é o mesmo."
> 5. Compare a afirmação de Parmênides de que "o ser é, o não-ser não é" com a concepção de Heráclito da realidade como mutável.

HERÁCLITO DE ÉFESO

FRAGMENTOS
O mobilismo

❝ **1.** Este *logos*, os homens, antes ou depois de o haverem ouvido, jamais o compreendem. Ainda que tudo ocorra de acordo com este *logos*, eles parecem não ter experiência, cada vez que experimentam palavras e atos tais como os exponho, analisando cada coisa segundo a sua natureza e interpretando-a como é. Os demais homens ignoram o que fazem quando acordados, assim como esquecem o que fazem durante o sono.

2. Por isso, é preciso seguir-se o comum. Mas, apesar de o *logos* ser comum, a grande multidão vive como se cada um tivesse um entendimento próprio.

4. Se a felicidade consistisse nos prazeres do corpo, deveríamos considerar felizes os bois quando encontram ervilhas para comer.

8. Tudo se faz por contraste, da luta dos contrários nasce a mais bela harmonia.

10. Correlações: completo e incompleto, concorde e discorde, harmonia e desarmonia, e todas as coisas, um, e de um, todas as coisas.

12. Para os que entram nos mesmos rios, correm outras e novas águas. Mas também almas (*psychai*) são exaladas do úmido.

17. A grande multidão não entende estas coisas, mesmo quando as encontra em seu caminho, e não as entende quando ensinada; mas pensa saber.

18. Quem não espera, não encontrará o inesperado, que é inexplorável e inacessível.

30. Este cosmo, igual para todos, não o fez nenhum dos deuses, nem nenhum dos homens, mas sempre foi, é e será um fogo eternamente vivo, acendendo-se e extinguindo-se conforme a medida.

31. As transformações do fogo: primeiro o mar; do mar, uma metade terra, a outra, ar incandescente. A terra dilui-se em mar, e esta recebe a sua medida segundo a mesma lei, tal como era antes de se tornar terra.

32. O Uno, o único sábio, recusa-se e aceita ser chamado pelo nome de Zeus.

35. Homens que amam a sabedoria precisam ter muitos conhecimentos.

36. Para as almas (*psychai*), morrer é transformar-se em água, para a água, morrer é transformar-se em terra. Da terra, contudo, forma-se a água, e da água a alma.

41. Há só uma coisa sábia: conhecer o pensamento que governa tudo através de tudo.

45. Mesmo percorrendo todos os caminhos, jamais encontrarás os limites da alma (*psyche*), tão profundo é o seu *logos*.

47. Não devemos fazer conjecturas apressadamente sobre as coisas mais elevadas.

49A. Descemos e não descemos para dentro dos mesmos rios; somos e não somos.

50. Se ouvirem não a mim, mas ao *logos*, provarão ser sábios se admitirem que tudo é um.

51. Não compreendem como separando-se podem se harmonizar: harmonia de forças contrárias como o arco e a lira.

52. O tempo (*aion*) é uma criança que brinca jogando dados: governo de criança.

53. A guerra (*polemos*) é pai de todas as coisas, rei de tudo; de uns fez deuses, de outros homens; de uns, escravos, de outros, homens livres.

54. A harmonia invisível é superior à visível.

55. Prefiro tudo aquilo que se pode ver, ouvir e entender.

59. O caminho da espiral sem fim é reto e curvo, é um e o mesmo.

60. O caminho para o alto e para baixo é um e o mesmo.

61. O mar, a água mais pura e a mais poluída: aos peixes, potável e saudável; aos homens, impotável e prejudicial.

62. Imortais, mortais; mortais, imortais. A vida destes é a morte daqueles, e a vida daqueles a morte destes.

65. O Fogo (*Pyr*): carência e fartura.

66. Aproximando-se, o fogo julgará e apreenderá tudo.

67. O deus é dia e noite, inverno e verão, guerra e paz, abundância e fome. Toma formas várias como o fogo, quando misturado a especiarias toma o perfume de cada uma.

67A. Assim como a aranha no centro de sua teia sente quando uma mosca rompe um de seus fios e por isso corre rapidamente como que apreensiva pela ruptura, do mesmo modo a alma humana, ao ser ferida alguma parte do corpo, acode apressadamente, como que não tolerando a lesão do corpo ao qual está ligada firme e harmoniosamente.

72. Do *logos*, com que mantêm um contato constante, os homens discordam; e as coisas que encontram todos os dias lhes parecem estranhas.

88. Trata-se de uma única e mesma coisa: a vida e a morte, a vigília e o sono, a juventude e a velhice; pois a mudança de um leva ao outro e vice-versa.

90. O fogo se transforma em todas as coisas e todas as coisas se transformam em fogo, assim como se trocam mercadorias por ouro e ouro por mercadorias.

91. Não se pode entrar duas vezes no mesmo rio. Dispersa-se e se junta novamente, aproxima-se e se distancia.

93. O senhor, cujo oráculo está em Delfos, não se oculta nem se revela, mas dá um sinal (*semainei*).

112. Pensar sensatamente é a mais elevada perfeição; a sabedoria consiste em dizer a verdade e agir de acordo com a natureza, ouvindo a sua voz.

113. O pensar sensatamente é comum a todos.

114. Aqueles que falam com inteligência devem apoiar-se no que é comum a todos, como a cidade (*polis*) em suas leis, e mais ainda. Todas as leis humanas nutrem-se de uma única lei divina, que estende o seu poder até aonde quer, é bastante para todos e tudo, e ainda os ultrapassa.

115. A alma possui um *logos* que aumenta a si próprio.

116. Todos os homens podem conhecer a si mesmos e pensar sensatamente.

123. A natureza tende (*philei*) a ocultar-se.

126. O frio torna-se quente, o quente frio, o úmido seco, e o seco úmido.

QUESTÕES E TEMAS PARA DISCUSSÃO

1. Destaque os principais fragmentos que representam a valorização por Heráclito do movimento como característica fundamental da realidade.
2. Qual a importância, nesse sentido, do fogo como elemento primordial para Heráclito?
3. Identifique os principais fragmentos em que o "conflito de opostos" está presente.
4. Como Heráclito caracteriza a noção de *logos*?
5. Que fragmentos representam a "relatividade" de nossa experiência da realidade?

LEITURAS SUGERIDAS

Pré-socráticos
Os filósofos pré-socráticos (org. Gerd Bornheim), São Paulo, Cultrix, 1994.
Os pensadores originários: Anaximandro, Parmênides, Heráclito, Petrópolis, Vozes, 1993.
Os pré-socráticos, col. Os Pensadores, São Paulo, Nova Cultural, 2000.

Sobre os pré-socráticos:
Os pré-socráticos, de Gerard Legrand, Rio de Janeiro, Zahar, 1991.
O despertar da filosofia grega, de John Burnet, São Paulo, Siciliano, 1994.

PLATÃO

Platão (428-348 a.C.) foi o primeiro grande filósofo do período clássico, desenvolvendo em seus diálogos uma reflexão profunda sobre questões que se tornaram centrais para a tradição filosófica, toda ela profundamente marcada pelo seu pensamento. Descendente da antiga aristocracia ateniense e discípulo de Sócrates (470-399 a.C.), transformou seu mestre, que nada escreveu, em personagem central da maioria de seus diálogos. Além do pensamento de Sócrates, Platão foi também fortemente marcado pela filosofia de Heráclito e de Parmênides, procurando conciliar a oposição entre ambos, bem como pelos pitagóricos, escola com a qual entrou em contato em sua primeira viagem à Sicília, logo após a morte de Sócrates.

Platão escreveu ao todo mais de trinta diálogos considerados autênticos, dos quais os primeiros, chamados de "diálogos socráticos", se encontram aparentemente bem próximos do pensamento de Sócrates. Após seu retorno da Sicília (388 a.C.) e a fundação de sua escola em Atenas, a Academia (387 a.C.), Platão começa a afastar-se do pensamento de seu antigo mestre, desenvolvendo sua própria filosofia, na qual a teoria das Formas ou Ideias ocupa um lugar central. Posteriormente fez uma revisão de sua filosofia nos diálogos chamados da "maturidade". Há controvérsias sobre a interpretação das diferentes fases do pensamento de Platão, porém é sempre importante a referência ao diálogo em que determinadas questões são tratadas, pois sua posição frequentemente muda de modo significativo. Os diálogos socráticos possuem, em geral, um estilo mais dramático — a discussão entre Sócrates e seus interlocutores é intensa — e são geralmente aporéticos, ou seja, inconclusivos, não havendo uma solução definitiva para o problema proposto, o que seria tipicamente socrático, embora alguns diálogos posteriores também tenham essa característica. Os diálogos em que Platão formula e desenvolve sua teoria das Ideias (em várias versões) têm um estilo mais expositivo, a discussão perdendo muito de seu caráter dramático.

APOLOGIA DE SÓCRATES
O papel do filósofo

> Começamos com a *Apologia*, um dos primeiros, se não o primeiro dos diálogos de Platão, escrito ainda sob o forte impacto do julgamento e da condenação de Sócrates. Com efeito, a *Apologia*, ou *Defesa*, consiste no discurso de Sócrates perante o júri ateniense que o condenou. Acusado de desrespeitar as leis da cidade e os deuses tradicionais e de corromper a juventude ateniense, Sócrates é levado a julgamento. Recusa-se a apresentar uma defesa tradicional, o que poderia, dada sua habilidade, tê-lo livrado da condenação, mas defende sua liberdade de pensamento e o caráter crítico da filosofia em um verdadeiro desafio ao júri, que acaba por considerá-lo culpado. Na passagem que se segue, a parte final do diálogo, Sócrates rejeita a alternativa do exílio, mantendo-se coerente com seu estilo de vida e de filosofar, afirmando que "a vida sem reflexão não vale a pena ser vivida".

[...] Talvez alguém diga: "Sócrates, será que você não pode ir embora, nos deixar em paz e ficar quieto, calado?" Ora, eis a coisa mais difícil de convencer alguns de vocês. Pois se eu disser que tal conduta seria desobediência ao deus e que por isso não posso ficar quieto, vocês acharão que estou zombando e não acreditarão. E se disser que falar diariamente da virtude e das outras coisas sobre as quais me ouvem falar e questionar a mim e a outros é o bem maior do homem e que a vida que não se questiona não vale a pena viver, vão me acreditar menos ainda. E assim é, senhores, mas não é fácil convencê-los. Além do mais, não estou acostumado a pensar que mereço punição alguma. Se tivesse dinheiro, proporia uma multa, a maior que pudesse pagar, pois isso não me causaria nenhum dano. Mas o fato é que não tenho dinheiro, a não ser que queiram impor uma multa que eu possa pagar. Talvez eu possa pagar uma mina de prata [100 dracmas]. De modo que proponho essa penalidade. Mas Platão aqui presente, atenienses, e Críton, Critóbulo e Apolodoro aconselham-me a propor trinta minas, oferecendo-se como fiadores. Então proponho uma multa nesse valor e estes homens serão meus fiadores mais que suficientes.

Não passará muito tempo, atenienses, e serão conhecidos e acusados pelos detratores do Estado como assassinos de Sócrates, um sábio; pois sabem que quem quiser difamá-los dirá que fui sábio, embora não o seja. Agora, se tivessem esperado um pouco, o que desejam teria ocorrido espontaneamente: pois veem como estou velho, quão avançado em anos e próximo da morte. Digo isso não a todos, mas àqueles que votaram pela minha morte. E a eles também tenho algo mais a dizer. Talvez pensem, senhores, que fui condenado por me faltarem as palavras que os teriam feito absolver-me caso achasse correto fazer e dizer tudo para conseguir a absolvição. Longe disso. E no entanto foi por uma falta que me condenaram, não todavia uma falta de palavras, mas de cinismo e descaramento, além da falta de vontade de dizer-lhes as coisas que vocês mais gostariam de ouvir. Vocês gostariam de me ouvir gemer e lamentar e dizer e fazer coisas que, insisto, são indignas de mim — coisas que vocês estão acostumados a ouvir de outros. Mas não achei que devesse, ante o perigo em que me encontrava, fazer coisa alguma indigna de um homem livre, nem me arrependo agora de ter feito minha defesa como fiz, mas prefiro morrer depois de uma defesa dessas do que viver depois de uma defesa do outro tipo. Pois nem no tribunal nem na guerra devemos, eu ou qualquer outro homem, tentar escapar da morte seja qual for o preço. Nas batalhas é muito comum um homem evitar a morte depondo as armas e implorando misericórdia aos perseguidores; e há muitas outras maneiras de escapar à morte ante perigos diversos quando se aceita fazer e dizer qualquer coisa. Mas, senhores, não é difícil escapar à morte; muito mais difícil é escapar à iniquidade, pois essa corre mais do que a morte. E agora, que sou velho e lento, me alcança a mais vagarosa das duas, enquanto meus acusadores, espertos e rápidos, são alcançados pela mais veloz. Ora, pois, irei embora, condenado por vocês e sentenciado à morte, e eles serão condenados pela verdade, por vilania e erro. Espero a minha pena; eles, a deles. Talvez as coisas tivessem que ser assim e acho que estão bem.

E agora desejo fazer uma profecia a vocês que me condenaram; pois me encontro agora no momento em que os homens mais profetizam, que é pouco antes da morte. Digo-lhes, homens que me executam, que o castigo recairá sobre vocês logo após a minha morte, muito mais atroz que o castigo que me impõem. Porque fazem isso comigo na esperança de não ter que prestar contas de suas vidas, mas lhes digo que o resultado será bem diferente. Aqueles que irão forçá-los a prestar contas serão em número bem maior do que o foram até aqui — homens a quem refreei, embora vocês não soubessem disso — e muito mais duros, na medida mesma em que mais jovens, e vocês ficarão mais ofendidos. Porque se pensam que condenando homens à morte evitam a reprovação dos seus atos errôneos, estão enganados. Essa escapatória de modo algum é possível nem honrosa; a saída mais fácil e digna não é eliminar os outros, mas tornar-se bom ao máximo. E com essa profecia para os que me condenaram, retiro-me.

Mas aos que votaram pela minha absolvição gostaria de falar sobre o que me aconteceu, enquanto as autoridades estão ocupadas e antes que chegue a hora de ir para o lugar onde devo morrer. Esperem comigo até lá, meus amigos, pois nada impede que conversemos enquanto ainda há tempo. Sinto que vocês são meus amigos e quero lhes mostrar o significado disso que me sucedeu. Pois, juízes — e chamando-os assim dou-lhes o nome correto —, uma coisa maravilhosa aconteceu comigo. Pois até aqui o oráculo costumeiro me falou com frequência, opondo-se a mim até nas menores questões se acaso eu pretendesse fazer algo que não devia; mas agora, como veem, recaiu sobre mim esse que deve ser e é geralmente considerado o maior dos males; e o sinal divino não se me opôs nem quando saí de casa de manhã nem quando cheguei aqui ao tribunal ou em qualquer momento do meu discurso, embora em outras ocasiões tenha muitas vezes interrompido minhas palavras; agora, porém, neste caso, não se opôs a coisa alguma que eu quis fazer ou dizer. Que razão suponho para isso? Vou dizer-lhes. Isso que me aconteceu é sem dúvida uma coisa boa e os que acham a morte um mal devem estar errados. Prova disso, convincente, me foi dada, pois com certeza teria deparado o costumeiro sinal de oposição se não estivesse indo ao encontro de algum coisa boa.

Vejamos também de outra forma como há bom motivo para esperar que seja uma boa coisa. Pois de duas, uma: ou a morte é o nada e assim o morto não tem consciência de coisa alguma ou, como diz o povo, é uma mudança de estado, uma migração da alma deste lugar para outro. Se for inconsciência, como um sono em que sequer sonhamos, a morte é um ganho maravilhoso. Pois acho que se comparasse uma noite de sono sem sonhos com as outras noites e dias de sua vida, para dizer, depois de pensar bem, quantos dias e noites teve na vida mais agradáveis do que aquela, qualquer pessoa — e não somente o homem comum mas mesmo o grande Rei da Pérsia — veria que foram poucos. Portanto, se tal for a natureza da morte, creio que é lucro, pois nesse caso toda a eternidade não parecerá mais que uma noite. Mas por outro lado, se a morte é, por assim dizer, uma mudança de casa daqui para algum outro lugar e se, como afirmam, todos os mortos estão lá, que bênção maior poderia existir, juízes? Pois se ao chegar ao outro mundo, deixando para trás os que se dizem juízes, o homem vai encontrar os verdadeiros juízes que ali se reuniriam em julgamento, Minos, Radamanto, Éaco, Triptólemo e todos os outros semideuses que foram homens justos em vida, seria indesejável a troca de moradia? Ora, o que não dariam vocês para encontrar Orfeu, Museu, Hesíodo e Homero? Quero morrer muitas vezes se tudo isso for verdade, pois acharia a vida lá maravilhosa ao encontrar Palamedes e Ajax Telamônio ou quaisquer dos antigos que perderam a vida por julgamento injusto e comparar minha experiência com a deles. Acho que isso não seria desagradável. E o maior prazer seria passar o tempo analisando e investigando as pessoas de lá, como faço com as daqui, para descobrir quem é sábio e quem pensa que é mas não é. Quanto vocês não dariam, juízes, para investigar aquele que comandou o grande exército contra Troia ou Odisseu, Sísifo e inúmeros outros homens e mulheres que eu poderia mencionar? Reunir-se e conversar com eles, estudá-los, seria imensa felicidade. Pelo menos as pessoas lá não matam gente por causa disso, pois, se é verdade o que diz o povo, são para sempre imortais, além de mais felizes sob outros aspectos que os homens daqui.

Mas vocês também, juízes, devem encarar a morte com esperança e não perder de vista esta verdade única: que nenhum mal pode atingir um homem bom, seja em vida ou após a morte, pois Deus não o abandona. Portanto, também isso que me aconteceu não foi por acaso; vejo plenamente que é melhor para mim morrer agora e ficar livre dos problemas. Foi por essa razão que o sinal não interferiu e não estou de forma alguma zangado com os que me condenaram ou acusaram. No entanto, não foi com isso em mente que eles me acusaram e condenaram, mas pensando em me ferir. Pelo que merecem a culpa. Faço-lhes, porém, esta petição: punam meus filhos quando eles crescerem, senhores, perturbando-os como eu perturbei vocês; caso lhes pareça que eles se preocupam menos com a virtude do que com dinheiro ou outra coisa qualquer e pensam ser mais do que são, repreendam-nos como eu repreendi vocês por se preocuparem com o que não deveriam e acharem que significam alguma coisa quando não valem nada. Se fizerem isso, tanto eu quanto meus filhos teremos recebido o justo tratamento.

É chegado, porém, o momento de partir. Vou morrer e vocês viverão, mas só Deus sabe a quem cabe o melhor quinhão."

CRÍTON
Sócrates e as leis de Atenas

> No diálogo *Críton*, também pertencente à fase socrática, encontramos Sócrates na prisão após a sua condenação e pouco antes da execução da sentença, segundo a qual deveria tomar uma taça de veneno, a cicuta, pena de morte reservada aos cidadãos atenienses. Críton, um discípulo de Sócrates, vem propor-lhe a fuga e o exílio, já que a condenação teria sido injusta. Sócrates recusa-se e, em resposta a Críton, perplexo pela recusa, imagina a personificação das leis de Atenas, com as quais mantém o seguinte diálogo:

[...] **SÓCRATES:** Então me diga se saindo daqui sem o consentimento do Estado estamos ou não prejudicando justamente aqueles a quem menos devemos prejudicar e se estamos ou não acatando o que aceitamos como certo.

CRÍTON: Não posso responder à sua pergunta, Sócrates, pois não a compreendo.

SÓCRATES: Considere a coisa da seguinte maneira. Se, quando estava a ponto de fugir (ou como se queira classificar), a lei e a comunidade viessem a mim e questionassem: "Diga, Sócrates, o que pretende fazer? Não estará querendo com isso, na medida das suas possibilidades, destruir as leis e todo o Estado? Ou acha que um Estado pode existir e não ser subvertido se as decisões dos tribunais não se impõem e acabam invalidadas e anuladas pelos cidadãos?" O que diríamos, Críton, em resposta a essas perguntas e outras do gênero? Pois é possível dizer muitas coisas, especialmente quando se é um orador, sobre a destruição da lei que faz valer as decisões dos tribunais. Ou deveríamos dizer: "O Estado me prejudicou e não julgou o caso corretamente"? Diríamos isso ou o quê?

CRÍTON: Por Zeus, isso é o que deveríamos dizer, Sócrates.

SÓCRATES: E se a lei dissesse: "Sócrates, foi esse o acordo que você fez conosco ou concordou em acatar os veredictos do Estado?" Então, se eu ficasse surpreso com a pergunta, talvez prosseguissem assim: "Não fique espantado com o que dizemos, Sócrates, mas responda, uma vez que está acostumado a usar o método da pergunta e resposta. Vamos, diga que falha vê em nós e no Estado para tentar nos destruir? Em primeiro lugar, não fomos nós que o parimos? Não foi por nosso intermédio que seu pai casou com sua mãe e você foi concebido? Agora diga: vê alguma falha nas leis do casamento?"

"Não vejo falha alguma", eu diria. "E nas leis que tratam da nutrição da criança após o nascimento e de sua educação, que você, como outros, recebeu? As leis que se ocupam dessas questões não orientaram bem o seu pai quando o instruíram a educar o filho em música e ginástica?" "Orientaram", eu diria. "Bem, então, se nasceu, alimentou-se e educou-se, pode dizer, para início de conversa, que não é nosso rebento e escravo, tanto você como seus ancestrais? E se assim é, acha certo que entre você e nós haja igualdade, de modo que tenha o direito de fazer a nós o que quer que decidamos fazer com você? Não existia essa igualdade de direitos entre você e seu pai ou o seu mestre, se teve algum, de modo que pudesse retribuir fosse qual fosse o tratamento que recebia, respondendo quando insultado ou batendo quando apanhava e assim por diante. E pensa que seria adequado agir assim com o seu país e as leis, de modo que se resolvermos destruí-lo, achando que isso é correto, você por sua vez tratará de destruir-nos, as leis e seu país, na medida do possível, e dizer que ao fazê-lo age corretamente, você que realmente se preocupa com a virtude? Ou é tal a sua sabedoria que não vê que o seu país é mais precioso e deve ser mais venerado, é mais sagrado e goza de mais alta estima entre os deuses e os homens de discernimento do que a sua mãe e o seu pai e todos os seus ancestrais e que você deve a ele, quando está zangado, mais reverência, obediência e humildade do que a seu pai, tendo que convencê-lo através da persuasão ou então fazer qualquer coisa que ele mandar, sofrendo se ele ordenar que sofra, em silêncio, e que, se ordenar que o açoitem e prendam ou o conduzam à guerra para ser morto ou ferido, sua vontade deve ser cumprida e isso está certo, não podendo você evitar, recuar ou desertar, mas tendo que fazer tanto na guerra como no tribunal e em qualquer parte o que for que o Estado, o seu país, ordenar, do contrário persuadindo-o do que é realmente certo, e que é ímpio quem usa violência contra o pai ou a mãe e muito mais quem a usa contra o seu país?" O que retrucaríamos a isso, Críton? Que a lei diz a verdade ou não?

CRÍTON: Acho que diz. [...]

SÓCRATES: "Ah, Sócrates, deixe-se guiar por nós que cuidamos da sua infância. Não se preocupe com os seus filhos nem com a vida ou coisa alguma senão com a justiça, que quando chegar à mansão dos mortos poderá ter todas essas coisas para dizer em sua defesa. Pois com certeza, se fizer isso que pretende, não será melhor para você aqui, nem mais justo ou sagrado, como não será para os seus amigos, nem melhor quando chegar àquela outra morada. Agora, porém, partirá injustiçado, se de fato for embora, mas não por nós, as leis, e sim pelos homens; mas se fugir depois de tão vergonhosamente revidar injustiça com injustiça e o mal com o mal, rompendo os seus pactos e acordos conosco e ferindo àqueles que menos deveria — a si mesmo, aos amigos, ao país e a nós —, ficaremos zangadas com você enquanto viver e as nossas irmãs, as leis do Hades, não o receberão cordialmente naquele reino, pois saberão que você tentou, o quanto pôde, nos destruir. Não deixe que Críton o convença a fazer o que ele diz, siga o nosso conselho."

Pode estar certo, Críton, caro amigo, que é isso o que escuto, assim como os frenéticos seguidores de Cibele parecem ouvir flautas, e o som dessas palavras ecoa dentro de mim e me impede de ouvir qualquer outra coisa. E pode estar certo de que, como agora acredito, discutir com essas palavras é inútil. No entanto, se acha que pode conseguir alguma coisa, fale.

CRÍTON: Não, Sócrates, não tenho nada a dizer.

SÓCRATES: Então, Críton, deixe estar e vamos agir assim, pois é dessa forma que Deus nos conduz."

PROTÁGORAS
O mito de Epimeteu: a criação do homem

> O *Protágoras* é um diálogo entre Sócrates e o sofista Protágoras acerca da diferença entre a filosofia e a sofística. Os sofistas foram adversários de Sócrates, Platão e Aristóteles em Atenas. Adeptos de uma visão pragmática da atividade política, valorizavam o discurso retórico e a oratória como instrumentos de persuasão através dos quais poderia ser obtido consenso nas Assembleias em que se tomavam as grandes decisões políticas da cidade. A posição dos sofistas era antiteórica e relativista, Protágoras sendo conhecido pela famosa afirmação "O homem é a medida de todas as coisas". Nessa passagem do diálogo, Protágoras questiona Sócrates acerca da natureza da política, discutindo se ela pressupõe um saber especializado ou se pode ser exercida por qualquer indivíduo. Recorre ao mito da criação do homem para defender a posição segundo a qual todo indivíduo é capaz de participar das decisões políticas.

" Houve um tempo em que existiam deuses, mas não existiam criaturas mortais. E ao chegar, enfim, o tempo destinado para a sua criação, os deuses moldaram-lhes as formas nas entranhas da terra, a partir de uma mistura feita de terra e fogo e de todas as substâncias que são compostas desses dois elementos. Quando estavam prontos para dar à luz tais criaturas, encarregaram Prometeu e Epimeteu de distribuir entre elas as qualidades apropriadas a cada uma. Mas Epimeteu implorou a Prometeu que o deixasse distribuir sozinho. "Quando tiver terminado", disse, "você vai examinar o resultado." Persuadindo-o desse modo, fez a distribuição. Atribuía a alguns força sem rapidez, enquanto equipava os mais fracos com rapidez; e alguns ele munia de armas, enquanto para outros, que ficavam desarmados, providenciava diferentes faculdades de preservação. Àqueles que dotava de tamanho diminuto, dava asas para escapar ou habitações subterrâneas; os que tinham seus corpos aumentados eram preservados por seu próprio tamanho; assim ele distribuiu todas as outras propriedades, seguindo esse plano de compensações. Levando a cabo tal tarefa, precavia-se para que nenhuma espécie viesse a se extinguir. Após equipá-las com os meios de evitar a destruição mútua, criou uma defesa contra as estações enviadas pelos deuses, vestindo as criaturas com pelos abundantes e peles grossas, suficientes para proteger no inverno, porém capazes de resguardar também do calor, de modo que essas coisas servissem a cada uma delas de leito natural, quando fossem deitar. Calçava algumas com cascos, outras com garras, e outras com peles duras, sem sangue. Depois passou a fornecer, a cada uma delas, seu alimento apropriado; a pastagem da terra para algumas, frutos das árvores para outras, raízes para as demais; a um certo número coube, em sua alimentação, devorar outras criaturas: elas foram dotadas de escassez na reprodução, enquanto as que eram consumidas ganharam proles numerosas, garantindo desse modo a sobrevivência de sua espécie. Só que Epimeteu, como não era assim tão sábio, esbanjou imprudentemente todo o seu estoque de propriedades com os animais, deixando desequipada a raça dos homens, com a qual ficou sem saber o que fazer. Enquanto estava ponderando sobre o ocorrido, Prometeu chegou para examinar sua distribuição e viu que as outras criaturas encontravam-se providas adequadamente de tudo, mas o homem estava nu, descalço, sem cobertas e desarmado; contudo já ia despontando o dia destinado, em que o homem, como as demais criaturas, devia emergir da terra para a luz. Então Prometeu, perplexo quanto ao meio de preservação que poderia inventar para o homem, roubou de Hefesto e Atena o saber das artes junto com o fogo — pois sem o fogo seria impossível aprender ou fazer uso desse saber — e os entregou ao homem como um presente. Todavia, embora tenha adquirido desse modo o saber acerca da vida, o homem ficou sem o saber político, que se encontrava nas mãos de Zeus. Prometeu não tinha permissão para entrar na acrópole, a morada de Zeus e, além disso, seus sentinelas eram terríveis. Mas ele penetrou furtivamente no edifício que Atena e Hefesto compartilhavam para o exercício de suas artes, roubou a arte de trabalhar com o fogo de Hefesto, assim como a arte de Atena, e deu ambas ao homem. Por isso é que o homem encontra facilidade em seu modo de viver. Mas, como se conta, devido à falta de Epimeteu, mais tarde Prometeu foi condenado por seu roubo.

Em primeiro lugar, uma vez que o homem passou a possuir uma porção divina, foi ele a única criatura a adorar os deuses, graças a sua afinidade com eles; por isso se pôs a construir altares e imagens sagradas. Em seguida, logo se tornou capaz de articular os sons da fala e as palavras, graças a seus dons, e a inventar casas, roupas, calçados, camas, e a cultivar a terra para colher seus alimentos. Assim providos de tudo, a princípio os homens viviam dispersos, não havendo nenhuma cidade, de modo que estavam sendo dizimados pelas feras selvagens, que eram mais fortes do que eles em todos os sentidos. Embora suas habilidades no artesanato fossem um auxílio suficiente no que dizia respeito à comida, não bastavam para enfrentar os animais, pois até então os homens não possuíam a arte política, na qual se inclui a arte da guerra. Com isso, passaram a se agrupar e a assegurar suas vidas fundando cidades. Entretanto, toda vez que se juntavam, causavam danos uns aos outros, justamente pela falta de uma arte política, e assim começaram a se dispersar novamente e perecer. Então Zeus, receando que a nossa raça corresse perigo de desaparecer por completo, enviou Hermes para trazer o respeito e a justiça aos homens, a fim de que houvesse organização nas cidades e laços de amizade entre os seus habitantes. Hermes perguntou a Zeus de que maneira devia dar aos homens respeito e justiça: "Devo distribuí-los como as artes foram distribuídas? Essa partilha foi feita de modo que um só homem, possuindo o saber da arte médica, é capaz de tratar de muitos homens comuns, o mesmo acontecendo com os demais artífices. Devo inserir o respeito e a justiça em meio aos homens desse modo, ou distribuí-los entre todos?" "Entre todos", respondeu Zeus; "que todos tenham a sua parte, pois as cidades não podem ser formadas se apenas alguns poucos possuírem tais virtudes, como acontece com as outras artes. E, além disso, faça de minha ordem uma lei, pela qual quem não puder partilhar do respeito e da justiça será condenado à morte, como uma praga pública." É por isso, Sócrates, que as pessoas nas cidades, especialmente em Atenas, consideram que deliberar sobre os casos de excelência artística ou bom exercício da profissão é um assunto de poucos entendidos, e se alguém de fora desse grupo faz qualquer deliberação, eles a rejeitam, como você diz, e com razão, segundo penso. Mas quando se encontram para um conselho a respeito da arte política, em que devem ser guiados pela justiça e pelo bom senso, naturalmente permitem as deliberações de todos, já que todos têm de partilhar dessas virtudes, ou então o Estado não poderia existir.

O BANQUETE
O amor

> O Banquete (*Symposion*) é o diálogo platônico sobre o Amor (*Eros*); de estilo fortemente teatral e poético, consiste em uma série de discursos em que o Amor é apresentado sob diferentes aspectos. A passagem aqui selecionada, uma das mais célebres dos diálogos de Platão, é a apresentação por Sócrates de um discurso de Diotima, sacerdotisa de Mantineia, sobre o Amor como desejo — de beleza, de imortalidade, de sabedoria —, como processo de elevação da alma em busca da perfeição. ...

[...] É uma longa história, disse ela, mas mesmo assim vou lhe contar. Quando Afrodite nasceu, os deuses fizeram uma grande festa e entre os convivas estava Poros, o deus da Riqueza, filho do Engenho (*Metis*). No final do banquete, veio a Penúria (*Penia*) mendigar, como sempre faz quando há alegria, e ficou perto da porta. Então, embriagado de néctar — pois vinho não existia ainda —, Poros, o deus da Riqueza, entrou no jardim de Zeus e ali, vencido pelo torpor, adormeceu. Então Penúria, tão sem recurso de seu, arquitetou o plano de ter um filho de Poros e, deitando-se ao seu lado, concebeu Amor. Assim sucedeu que desde o início Amor serviu e assistiu Afrodite, por ter sido gerado no dia em que ela nasceu e ser, além disso, por natureza, um amante do belo, e bela é Afrodite. Ora, como filho de Poros e da Penúria, Amor está numa situação peculiar. Primeiro, é sempre pobre e está longe da suavidade e beleza que muitos lhe supõem: ao contrário, é duro e seco, descalço e sem teto; sempre se deita no chão nu, sem lençol, e descansa nos degraus das portas ou à margem dos caminhos, ao ar livre; fiel à natureza da mãe, vive na penúria. Mas herdou do pai os esquemas de conquista de tudo o que é belo e bom; porque é bravo, impetuoso, muito sensível, caçador emérito, sempre tramando algum estratagema; desejoso e capaz de sabedoria, a vida toda perseguindo a verdade; um mestre do malabarismo, do feitiço e do discurso envolvente. Nem imortal nem mortal de nascimento, no mesmíssimo dia está cheio de vida quando a sorte lhe sorri, para logo ficar moribundo e em seguida renascer de novo por força da natureza paterna: mas os recursos que obtém sempre se perdem; de modo que Amor nunca é pobre ou rico e, além disso, está sempre a meio caminho da sabedoria e da ignorância. A questão é que nenhum deus persegue a sabedoria ou deseja tornar-se sábio, pois já o é; e ninguém mais que seja sábio persegue a sabedoria. Nem o ignorante persegue a sabedoria ou deseja ser sábio; nisso, aliás, a ignorância é confrangedora: estar satisfeita consigo mesma sem ser uma pessoa esclarecida nem inteligente. O homem que não se sente deficiente não deseja aquilo de que não sente deficiência.

Quem, então, Diotima, perguntei, são os seguidores da sabedoria, se não são nem os sábios nem os ignorantes?

Ora, a esta altura uma criança mesmo poderia dizer, replicou ela, que são as pessoas de tipo intermediário, entre as quais se inclui Amor. Porque a sabedoria diz respeito às coisas mais belas e Amor é o amor do belo; de modo que a necessidade de Amor tem que ser amiga da sabedoria e, como tal, deve situar-se entre o sábio e o ignorante. Pelo que, também, deve agradecer sua origem: pois se teve um pai sábio e rico, sua mãe é tola e pobre. Tal, meu bom Sócrates, é a natureza desse espírito. Que você tenha formado outro conceito de Amor não é surpreendente. Você supôs, a julgar por suas próprias palavras, que Amor fosse o amado e não o amante. O que o levou, imagino, a afirmar que o Amor é tão belo. O amável, com efeito, é realmente belo, suave, perfeito e abençoado; mas o amante é diferente, como mostra o relato que fiz.

Ao que observei: Então muito bem, senhora, tem razão. Mas se Amor é assim como descreve, que utilidade tem para o ser humano?

Essa é a questão seguinte, Sócrates, retrucou, que tentarei esclarecer. Se Amor é de natureza e origem tais como relatei, é também inspirado pelas coisas belas, como diz. Agora, suponha que alguém nos perguntasse: Sócrates e Diotima, em que sentido Amor é o amor do belo? Mas deixe-me colocar a questão de forma mais clara: o que é o amor do amante do belo? [...]

Nesses assuntos de amor até você, Sócrates, poderia eventualmente ser iniciado, mas não sei se entenderia os ritos e revelações dos quais eles não passam de introito para os verdadeiramente instruídos. No entanto, vou lhe falar deles, disse ela, e não pouparei os meus melhores esforços. Apenas faça o possível da sua parte para acompanhar. Aquele que bem procede nesse campo deve não somente começar por frequentar belos corpos na juventude. Em primeiro lugar, de fato, se for bem orientado, deve amar um corpo em particular e engendrar uma bela conversa; mas em seguida vai notar como a beleza desse ou daquele corpo é semelhante à de qualquer outro e que, se pretende buscar a ideia da beleza, é rematada tolice não encarar como uma só coisa a beleza que pertence a todos. Tendo percebido essa verdade, deve tornar-se amante de todos os belos corpos e arrefecer o seu sentimento por um único, desprezando isso como uma bobagem. Seu próximo passo será dar um valor maior à beleza das almas do que à do corpo, de forma que, por menor que seja a graça de qualquer alma promissora, bastará para o seu amor e cuidado e para despertar e pedir um discurso que sirva à formação dos jovens. E por último pode ser levado a contemplar o belo que existe em nossos costumes e leis e observar que tudo isso tem afinidade, assim concluindo que a beleza do corpo é questão menor. Dos costumes pode passar aos ramos do conhecimento e aí também encontrar uma província da beleza. Vendo assim a beleza no geral, poderá escapar da mesquinha e miúda escravidão de um único exemplo em que concentre como um servo todo o seu cuidado, como a beleza de um jovem, de um homem ou de uma prática. Dessa forma voltando-se para o oceano maior da beleza, pode pela contemplação despertar em todo o seu esplendor muitos e belos frutos do discurso e da meditação, numa rica colheita filosófica; até que, com a força e ascensão assim obtidas, vislumbra o conhecimento específico de uma beleza ainda não revelada. E agora peço que preste a maior atenção, disse ela.

Quando um homem foi assim instruído no conhecimento do amor, passando em revista coisas belas uma após outra, numa ascensão gradual e segura, de repente terá a revelação, ao se aproximar do fim de suas investigações do amor, de uma visão maravilhosa, bela por natureza; e esse, Sócrates, é o objetivo final de todo o afã anterior. Antes de mais nada, ela é eterna e nunca nasce ou morre, envelhece ou diminui; depois, não é parcialmente bela e parcialmente feia, nem é assim num momento e assado em outro, nem em certos aspectos bela e em outros feia, nem afetada pela posição de modo a parecer bela para alguns e feia para outros. Nem achará o nosso iniciado essa beleza na aparência de um rosto ou de mãos ou de qualquer outra parte do corpo, nem numa descrição específica ou num determinado conhecimento, nem existente em algum lugar em outra substância, seja um animal, a terra, o céu ou outra coisa qualquer, mas existente sempre de forma singular, independente, por si mesma, enquanto toda a multiplicidade de coisas belas dela participam de tal modo que, embora todas nasçam e morram, ela não aumenta nem diminui e não é afetada por coisa alguma. Assim, quando um homem, pelo método correto do amor dos jovens, ascende desses particulares e começa a divisar aquela beleza, é quase capaz de captar o segredo final. Essa é a abordagem ou indução correta dos assuntos do amor. Começando pelas belezas óbvias, ele deve, pelo bem da mais elevada beleza, ascender sempre, como nos degraus de uma escada, do primeiro para o segundo e daí para todos os corpos belos; da beleza pessoal chega aos belos costumes, dos costumes ao belo aprendizado e do aprendizado, por fim, àquele estudo particular que se ocupa da própria beleza e apenas dela; de forma que finalmente vem a conhecer a essência mesma da beleza. Nessa condição de vida acima de todas as outras, meu caro Sócrates, disse a mulher de Mantineia, um homem percebe realmente que vale a pena viver ao contemplar a beleza essencial. Esta, uma vez contemplada, superará em brilho o seu ouro e as suas vestes, os seus belos rapazes e garotos cuja aparência agora tanto o perturba e o torna disposto, como muitos outros à simples visão e companhia dos seus favoritos, a passar mesmo sem comida e bebida, se isso fosse de algum modo possível, apenas para poder olhá-los e desfrutar de sua presença. Mas diga-me o que aconteceria se um de vocês tivesse a sorte de contemplar a beleza essencial inteira, pura e genuína, não contaminada pela carne e a cor da humanidade e todo esse refugo mortal. E se pudessem divisar a própria beleza divina em sua forma única? Acha que é uma vida lamentável para um homem — ver as coisas dessa maneira, adquirir essa visão pelos meios adequados e tê-la sempre consigo? Apenas considere, disse ela, que isso fará somente com que, ao ver a beleza através daquilo que a torna visível, não alimente ilusões mas exemplos de virtude, porquanto seu contato não é com a ilusão mas com a verdade. Assim, quando adquirir uma verdadeira virtude e desenvolvê-la, estará destinado a conquistar a amizade do Céu. Este, acima de todos, é um homem imortal.

Foi isso, Fedro e demais companheiros, o que Diotima me disse e do que estou convencido; e tento, de minha parte, persuadir os vizinhos de que para alcançar essa visão a melhor ajuda que a natureza humana pode esperar é do Amor. Por isso digo-lhes agora que todo homem deve reverenciar o Amor, como eu de minha parte reverencio com especial devoção todas as questões do amor e exorto todos os outros homens a fazer o mesmo. Agora e sempre glorifico ao máximo o poder e o valor do Amor. Assim eu lhe peço, Fedro, que tenha a bondade de considerar este relato um elogio do Amor ou chame-o como melhor lhe aprouver. [...]

MÊNON
A reminiscência: a demonstração do teorema de Pitágoras pelo escravo

> No *Mênon*, a questão tratada é a natureza da virtude e se esta pode ser ensinada. Sócrates sustenta que a virtude não pode ser ensinada, consistindo em algo que trazemos já conosco desde o nosso nascimento, que pertence a nossa natureza. Trata-se de uma defesa do *inatismo*, concepção segundo a qual temos em nós um conhecimento inato, que, entretanto, se encontra obscurecido ou esquecido dede o momento em que a alma se encarnou no corpo. O papel da filosofia é fazer-nos recordar esse conhecimento, o que ficou conhecido como a doutrina platônica da *reminiscência*, ou lembrança. Na passagem que se segue, Sócrates tenta mostrar a Mênon, incrédulo sobre o inatismo, que até o seu jovem escravo é capaz de, se corretamente interrogado, demonstrar o teorema de Pitágoras (no triângulo retângulo, o quadrado da hipotenusa é igual à soma do quadrado dos catetos), mesmo sem jamais ter estudado geometria. A concepção de reminiscência é desenvolvida na discussão sobre a natureza da alma no diálogo *Fedro*.

❝ [...] SÓCRATES: Disse há pouco, Mênon, que você é um brincalhão. E aí está você me perguntando se posso instruí-lo, quando digo que não há aprendizado mas apenas lembrança. Quer me pegar em contradição.

MÊNON: Garanto, Sócrates, que não foi essa minha intenção, só falei por hábito. Contudo, se puder me provar de alguma forma que é como diz, por favor faça-o.

SÓCRATES: Não é fácil, mas ainda pretendo fazer o máximo por você. Apenas chame um dos seus serviçais, o que você quiser, para ajudar na minha demonstração.

MÊNON: Certamente. Você aí, venha cá.

SÓCRATES: Ele é grego, suponho, e fala grego?

MÊNON: Oh, sim, com certeza; nasceu na casa.

SÓCRATES: Agora observe atentamente se ele parece lembrar ou se aprende comigo.

MÊNON: Certo.

SÓCRATES: Diga-me, rapaz, sabe que esta figura é um quadrado?

RAPAZ: Sei.

SÓCRATES: Quer dizer que um quadrado tem quatro lados, todos iguais?

Rapaz: Claro.

Sócrates: E estas linhas traçadas no meio são também iguais, não?

Rapaz: Sim.

Sócrates: E uma figura desse tipo pode ser maior ou menor, certo?

Rapaz: Certo.

Sócrates: Agora, se este lado tivesse dois pés e aquele também, quantos pés teria o quadrado? Coloquemos de outra forma: se um lado tivesse dois pés e o outro apenas um, claro que a área seria de duas vezes um pé, não é?

Rapaz: Sim.

Sócrates: Mas como o outro lado tem também dois pés, a área então não é de duas vezes dois pés?

Rapaz: É.

Sócrates: Então a área é de duas vezes dois pés?

Rapaz: Sim.

Sócrates: Bem, e quanto são duas vezes dois? Conte e me diga.

Rapaz: Quatro, Sócrates.

Sócrates: E pode haver outra figura duas vezes maior que esta mas do mesmo tipo, também com todos os lados iguais?

Rapaz: Pode.

Sócrates: Então quantos pés terá?

Rapaz: Oito.

Sócrates: Agora tente me dizer quanto medirá cada lado dessa figura. Este aqui tem dois pés; quanto terá o lado do outro quadrado que tem o dobro do tamanho?

Rapaz: Sem dúvida o dobro, Sócrates.

Sócrates: Está observando, Mênon, que não ensino coisa alguma ao rapaz, mas apenas lhe faço perguntas? E agora ele supõe que sabe o tamanho da linha para traçar um quadrado de oito pés, ou não acha que supõe?

Mênon: Acho que sim.

Sócrates: Mas ele sabe?

Mênon: Claro que não.

Sócrates: Ele apenas supõe pelo dobro do tamanho exigido?

Mênon: Sim.

SÓCRATES: Agora observe o progresso dele ao lembrar, com o uso adequado da memória. Diga-me, rapaz, a seu ver obtemos o dobro da área com uma linha que tenha o dobro da extensão? A área a que me refiro não é comprida numa direção e curta em outra; deve ser igual em todas as direções, como esta, mas ter o dobro do tamanho: oito pés. Agora veja se ainda acha que obtemos isso com uma linha do dobro do tamanho.

RAPAZ: Acho.

SÓCRATES: Bem, se acrescentamos aqui outra linha do mesmo tamanho, dobramos esta?

RAPAZ: Claro.

SÓCRATES: E você diz que teremos uma área de oito pés com quatro linhas deste tamanho?

RAPAZ: Sim.

SÓCRATES: Então vamos traçar o quadrado, com quatro linhas iguais desse tamanho. Teremos então, a seu ver, a figura de oito pés, não é?

RAPAZ: Certamente.

SÓCRATES: E contidos neste quadrado não temos outros quatro iguais à área de quatro pés?

RAPAZ: Sim.

SÓCRATES: Então qual é o tamanho total? Quatro vezes aquela área, não é?

RAPAZ: Deve ser.

SÓCRATES: E quatro vezes são o dobro?

RAPAZ: Não, claro que não.

SÓCRATES: E quanto são?

RAPAZ: O quádruplo.

SÓCRATES: Portanto, rapaz, a linha com o dobro do tamanho dá uma área que não é o dobro mas o quádruplo da primeira?

RAPAZ: É verdade.

SÓCRATES: E quatro vezes quatro são dezesseis, certo?

RAPAZ: Certo.

SÓCRATES: De que tamanho será a linha para uma área de oito pés? Esta aqui nos dá uma área quatro vezes maior, não é?

RAPAZ: É.

SÓCRATES: E uma área de quatro pés se obtém com esta linha de metade do tamanho?

RAPAZ: Sim.

SÓCRATES: Muito bem. E uma área de oito pés não é o dobro desta e metade desta outra?

RAPAZ: Sim.

SÓCRATES: Não será obtida com uma linha maior que a destes quadrados e menor que a do outro?

RAPAZ: Acho que sim.

SÓCRATES: Excelente; responda sempre somente o que você acha. Agora diga-me: não traçamos esta linha com dois pés e aquela com quatro?

RAPAZ: Sim.

SÓCRATES: Então o lado da figura de oito pés deveria ser maior do que este de dois pés e menor do que o outro de quatro?

RAPAZ: Sim.

SÓCRATES: Tente me dizer que tamanho acha que teria.

RAPAZ: Três pés.

SÓCRATES: Então, se são três pés, devemos acrescentar metade a este aqui para traçar um lado de três pés? Pois aqui temos dois e agora mais um e o mesmo daquele lado, dois e mais um; o que dá a figura de que você fala.

RAPAZ: Certo.

SÓCRATES: Ora, se são três nesta direção e três na outra, a área total será de três vezes três pés, não é?

RAPAZ: Parece que sim.

SÓCRATES: E três vezes três são quantos pés?

RAPAZ: Nove.

SÓCRATES: E quantos pés deveria ter a área com o dobro do tamanho da primeira?

RAPAZ: Oito.

SÓCRATES: Então não conseguimos a nossa figura de oito pés com esta linha de três, não é?

RAPAZ: É, de fato.

SÓCRATES: Mas com que linha vamos traçar isso? Tente nos dizer exatamente; mas, se não conseguir calcular, apenas mostre que linha será.

RAPAZ: Bem, Sócrates, palavra que não sei.

SÓCRATES: E agora, Mênon, vê que progressos ele já fez em termos de memória? De início não sabia que linha forma a figura de oito pés e mesmo agora não sabe, mas antes achava que sabia e respondeu confiante como se soubesse, sem ter consciência das dificuldades; ao passo que agora sente a dificuldade em que se encontra e, além de não saber, não acha mais que sabe.

Mênon: É verdade.

Sócrates: E não está em melhor situação com respeito ao assunto que não conhecia?

Mênon: Também concordo.

Sócrates: Ora, levando-o a duvidar e dando-lhe o choque, fizemos-lhe algum mal?

Mênon: Acho que não.

Sócrates: E sem dúvida prestamos-lhe alguma assistência, parece, para que descubra a verdade da questão, pois agora ele prosseguirá alegremente na busca do que não conhece, ao passo que antes se apressaria em supor que tinha razão em dizer, diante de todos e quantas vezes fosse, que o dobro da área deve ter um lado com o dobro do tamanho.

Mênon: Assim parece.

Sócrates: Ora, você acha que ele teria tentado investigar ou aprender o que pensava saber, quando não sabia, se não fosse reduzido à perplexidade de perceber que não sabia e sentisse então o desejo de saber?

Mênon: Acho que não, Sócrates.

Sócrates: Então o choque foi positivo para ele?

Mênon: Acho que sim.

Sócrates: Agora observe como, em consequência dessa perplexidade, ele vai prosseguir e descobrir uma coisa em investigação conjunta comigo, embora eu meramente faça perguntas e não ensine. E fique atento para ver se em algum momento lhe ensino ou explico algo, em vez de questionar as suas opiniões. Diga-me, rapaz: aqui temos um quadrado de quatro pés, não temos? Está entendendo?

Rapaz: Sim.

Sócrates: E aqui juntamos a ele um quadrado igual, certo?

Rapaz: Certo.

Sócrates: E aqui um terceiro, igual aos outros dois, não é?

Rapaz: É.

Sócrates: Agora vamos preencher essa área vazia no canto, está bem?

Rapaz: Está.

SÓCRATES: Então devemos ter aqui quatro áreas iguais?

RAPAZ: Sim.*

SÓCRATES: Ora bem, quantas vezes a área total é maior do que essa outra?

RAPAZ: Quatro vezes.

SÓCRATES: Mas devia ser apenas duas vezes, lembra-se?

RAPAZ: Claro.

SÓCRATES: E esta linha traçada de ângulo a ângulo dos quadrados não divide em duas a área de cada um?

RAPAZ: Sim.

SÓCRATES: E não temos quatro linhas iguais encerrando esta área?

RAPAZ: Temos.

SÓCRATES: Agora repare qual é a área deste quadrado.

RAPAZ: Não entendo.

SÓCRATES: As linhas inscritas não dividem pela metade cada uma das quatro áreas?

RAPAZ: Dividem.

SÓCRATES: E quantas dessas metades há aqui [na figura inscrita]?

RAPAZ: Quatro.

SÓCRATES: E quantas aqui [num dos quadrados menores]?

RAPAZ: Duas.

SÓCRATES: E quatro é quantas vezes dois?

RAPAZ: O dobro.

SÓCRATES: Então quantos pés quadrados tem esta área [inscrita]?

RAPAZ: Oito pés.

SÓCRATES: E com que linha foi traçada?

RAPAZ: Com esta.

SÓCRATES: Com a linha que corta o quadrado de quatro pés de um ângulo a outro?

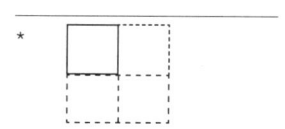

Rapaz: Sim.*

Sócrates: Os professores chamam essa linha de diagonal. Se diagonal é o seu nome, então segundo você, servo de Mênon, o dobro da área é o quadrado da diagonal.

Rapaz: Sim, certamente, Sócrates.

Sócrates: O que achou, Mênon? Ele deu alguma opinião que não correspondesse ao seu próprio pensamento?

Mênon: Não, todas as opiniões foram dele.

Sócrates: Mas veja, ele não sabia, como dissemos há pouco.

Mênon: É verdade.

Sócrates: No entanto, ele tinha essas opiniões dentro dele, não tinha?

Mênon: Tinha.

Sócrates: Então aquele que nada sabe de assunto algum, seja qual for, pode ter opiniões verdadeiras sobre assuntos que desconhece por completo?

Mênon: Aparentemente.

Sócrates: E neste momento essas opiniões acabam de ser suscitadas nele, como um sonho; mas se repetidamente lhe fizessem essas mesmas perguntas de variadas formas, você sabe que por fim ele teria a respeito uma compreensão tão exata quanto qualquer um.

Mênon: É o que parece.

Sócrates: Sem que ninguém o ensine e somente por meio de perguntas que lhe façam, ele compreenderá, recuperando o conhecimento dentro de si mesmo?

Mênon: Sim.

Sócrates: E essa recuperação do conhecimento, dentro de si e por si mesmo, não é recordar?

Mênon: Certamente.

Sócrates: Então ele deve ter adquirido outrora ou sempre teve o conhecimento que agora tem, não é?

Mênon: É.

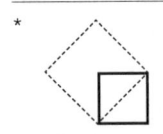

Sócrates: Ora, se sempre o teve, sempre foi sabedor; e se o adquiriu em algum momento, não pode ter sido nesta vida. Ou será que alguém lhe ensinou geometria? Veja, ele pode fazer o mesmo com a geometria inteira ou qualquer campo do conhecimento. Ora, alguém lhe ensinou tudo isso? Você com certeza deve saber, especialmente porque ele nasceu e foi criado em sua casa.

MÊNON: Bem, sei que ninguém jamais lhe ensinou.

SÓCRATES: E ele tem ou não tem essas opiniões?

MÊNON: Deve tê-las, Sócrates, evidentemente.

SÓCRATES: E se não as adquiriu nesta vida, não é óbvio que passou a tê-las em alguma outra época?

MÊNON: Aparentemente.

SÓCRATES: E isso deve ter sido quando ainda não era um ser humano?

MÊNON: É.

SÓCRATES: Portanto, se em ambos os períodos — quando ser humano e quando não — ele tinha dentro de si opiniões verdadeiras que precisam apenas ser despertadas pelo questionamento para se tornarem conhecimento, sua alma então deve ter tido sempre essa ciência? Pois é claro que ou ele sempre foi um ser humano ou não foi.

MÊNON: Evidente.

SÓCRATES: E se a verdade de todas as coisas que existem está sempre em nossa alma, então a alma deve ser imortal? De modo que é preciso criar coragem e se esforçar em procurar e recuperar seja lá o que for que hoje porventura desconhecemos, isto é, que não lembramos? [...]

A REPÚBLICA
A Alegoria da Caverna

> Na *República*, Platão formula seu modelo ideal de cidade, a cidade justa, que serve de contraste para a cidade concreta, Atenas, cujo sistema político é injusto, corrupto e decadente. Para definir o que é a cidade justa, Platão começa a examinar o que é a justiça, o que o leva a investigar o conhecimento da justiça e, por fim, o próprio conhecimento. A *Alegoria*, ou *Mito, da Caverna*, que se encontra no início do livro VII deste diálogo consiste precisamente em uma imagem construída por Sócrates para explicar a seu interlocutor, Glauco, o processo pelo qual o indivíduo passa ao se afastar do mundo do senso comum e da opinião em busca do saber e da visão do Bem e da Verdade. É este precisamente o percurso do prisioneiro até transformar-se no sábio, no filósofo, devendo depois retornar à caverna para cumprir sua tarefa político-pedagógica de indicar a seus antigos companheiros o caminho.

Sócrates: Agora imagine a nossa natureza, segundo o grau de educação que ela recebeu ou não, de acordo com o quadro que vou fazer. Imagine, pois, homens que vivem em uma espécie de morada subterrânea em forma de caverna. A entrada se abre para a luz em toda a largura da fachada. Os homens estão no interior desde a infância, acorrentados pelas pernas e pelo pescoço, de modo que não podem mudar de lugar nem voltar a cabeça para ver algo que não esteja diante deles. A luz lhes vem de um fogo que queima por trás deles, ao longe, no alto. Entre os prisioneiros e o fogo, há um caminho que sobe. Imagine que esse caminho é cortado por um pequeno muro, semelhante ao tapume que os exibidores de marionetes dispõem entre eles e o público, acima do qual manobram as marionetes e apresentam o espetáculo.

Glauco: Entendo.

Sócrates: Então, ao longo desse pequeno muro, imagine homens que carregam todo tipo de objetos fabricados, ultrapassando a altura do muro; estátuas de homens, figuras de animais, de pedra, madeira ou qualquer outro material. Provavelmente, entre os carregadores que desfilam ao longo do muro, alguns falam, outros se calam.

Glauco: Estranha descrição e estranhos prisioneiros!

Sócrates: Eles são semelhantes a nós. Primeiro, você pensa que, na situação deles, eles tinham visto algo mais do que as sombras de si mesmos e dos vizinhos que o fogo projeta na parede da caverna à sua frente?

Glauco: Como isso seria possível, se durante toda a vida eles estão condenados a ficar com a cabeça imóvel?

Sócrates: Não acontece o mesmo com os objetos que desfilam?

Glauco: É claro.

Sócrates: Então, se eles pudessem conversar, não acha que, nomeando as sombras que veem, pensariam nomear seres reais?

Glauco: Evidentemente.

Sócrates: E se, além disso, houvesse um eco vindo da parede diante deles, quando um dos que passam ao longo do pequeno muro falasse, não acha que eles tomariam essa voz pela da sombra que desfila à sua frente?

Glauco: Sim, por Zeus.

Sócrates: Assim sendo, os homens que estão nessas condições não poderiam considerar nada como verdadeiro, a não ser as sombras dos objetos fabricados.

Glauco: Não poderia ser de outra forma.

SÓCRATES: Veja agora o que aconteceria se eles fossem libertados de suas correntes e curados de sua desrazão. Tudo não aconteceria naturalmente como vou dizer? Se um desses homens fosse solto, forçado subitamente a levantar-se, a virar a cabeça, a andar, a olhar para o lado da luz, todos esses movimentos o fariam sofrer; ele ficaria ofuscado e não poderia distinguir os objetos, dos quais via apenas as sombras, anteriormente. Na sua opinião, o que ele poderia responder se lhe dissessem que, antes, ele só via coisas sem consistência, que agora ele está mais perto da realidade, voltado para objetos mais reais, e que está vendo melhor? O que ele responderia se lhe designassem cada um dos objetos que desfilam, obrigando-o, com perguntas, a dizer o que são? Não acha que ele ficaria embaraçado e que as sombras que ele via antes lhe pareceriam mais verdadeiras do que os objetos que lhe mostram agora?

GLAUCO: Certamente, elas lhe pareceriam mais verdadeiras.

SÓCRATES: E se o forçassem a olhar para a própria luz, não achas que os olhos lhe doeriam, que ele viraria as costas e voltaria para as coisas que pode olhar e que as consideraria verdadeiramente mais nítidas do que as coisas que lhe mostram?

GLAUCO: Sem dúvida alguma.

SÓCRATES: E se o tirassem de lá à força, se o fizessem subir o íngreme caminho montanhoso, se não o largassem até arrastá-lo para a luz do sol, ele não sofreria e se irritaria ao ser assim empurrado para fora? E, chegando à luz, com os olhos ofuscados pelo seu brilho, não seria capaz de ver nenhum desses objetos, que nós afirmamos agora serem verdadeiros.

GLAUCO: Ele não poderá vê-los, pelo menos nos primeiros momentos.

SÓCRATES: É preciso que ele se habitue, para que possa ver as coisas do alto. Primeiro, ele distinguirá mais facilmente as sombras, depois, as imagens dos homens e dos outros objetos refletidas na água, depois os próprios objetos. Em segundo lugar, durante a noite, ele poderá contemplar as constelações e o próprio céu, e voltar o olhar para a luz dos astros e da lua mais facilmente que durante o dia para o sol e para a luz do sol.

GLAUCO: Sem dúvida.

SÓCRATES: Finalmente, ele poderá contemplar o sol, não o seu reflexo nas águas ou em outra superfície lisa, mas o próprio sol, no lugar do sol, o sol tal como é.

GLAUCO: Certamente.

SÓCRATES: Depois disso, poderá raciocinar a respeito do sol, concluir que é ele que produz as estações e os anos, que governa tudo no mundo visível, e que é, de algum modo, a causa de tudo o que ele e seus companheiros viam na caverna.

GLAUCO: É indubitável que ele chegará a essa conclusão.

SÓCRATES: Nesse momento, se ele se lembrar de sua primeira morada, da ciência que ali se possuía e de seus antigos companheiros, não acha que ficaria feliz com a mudança e teria pena deles?

GLAUCO: Claro que sim.

SÓCRATES: Quanto às honras e louvores que eles se atribuíam mutuamente outrora, quanto às recompensas concedidas àquele que fosse dotado de uma visão mais aguda para discernir a passagem das sombras na parede e de uma memória mais fiel para se lembrar com exatidão daquelas que precedem certas outras ou que lhes sucedem, as que vêm juntas, e que, por isso mesmo, era o mais hábil para conjeturar a que viria depois, acha que nosso homem teria inveja dele, que as honras e a confiança assim adquiridas entre os companheiros lhe dariam inveja? Ele não pensaria antes, como o herói de Homero, que mais vale "viver como escravo de um lavrador" e suportar qualquer provação do que voltar à visão ilusória da caverna e viver como se vive lá?

GLAUCO: Concordo com você. Ele aceitaria qualquer provação para não viver como se vive lá.

SÓCRATES: Reflita ainda nisto: suponha que esse homem volte à caverna e retome o seu antigo lugar. Desta vez, não seria pelas trevas que ele teria os olhos ofuscados, ao vir diretamente do sol?

GLAUCO: Naturalmente.

SÓCRATES: E se ele tivesse que emitir de novo um juízo sobre as sombras e entrar em competição com os prisioneiros que continuaram acorrentados, enquanto sua vista ainda está confusa, seus olhos ainda não se recompuseram, enquanto lhe deram um tempo curto demais para acostumar-se com a escuridão, ele não ficaria ridículo? Os prisioneiros não diriam que, depois de ter ido até o alto, voltou com a vista perdida, que não vale mesmo a pena subir até lá? E se alguém tentasse retirar os seus laços, fazê-los subir, você acredita que, se pudessem agarrá-lo e executá-lo, não o matariam?

GLAUCO: Sem dúvida alguma, eles o matariam.

SÓCRATES: E agora, meu caro Glauco, é preciso aplicar exatamente essa alegoria ao que dissemos anteriormente. Devemos assimilar o mundo que apreendemos pela vista à estada na prisão, a luz do fogo que ilumina a caverna à ação do sol. Quanto à subida e à contemplação do que há no alto, considera que se trata da ascensão da alma até o lugar inteligível, e não te enganarás sobre minha esperança, já que desejas conhecê-la. Deus sabe se há alguma possibilidade de que ela seja fundada sobre a verdade. Em todo o caso eis o que me aparece tal como me aparece; nos últimos limites do mundo inteligível aparece-me a ideia do Bem, que se percebe com dificuldade, mas que não se pode ver sem concluir que ela é a causa de tudo o que há de reto e de belo. No mundo visível, ela gera a luz e o senhor da luz, no mundo inteligível ela própria é a soberana que dispensa a verdade e a inteligência. Acrescento que é preciso vê-la se quer comportar-se com sabedoria, seja na vida privada, seja na vida pública.

GLAUCO: Tanto quanto sou capaz de compreender-te, concordo contigo.

QUESTÕES E TEMAS PARA DISCUSSÃO

O papel do filósofo
1. Segundo Sócrates, qual o papel do filósofo?
2. Como podemos entender a afirmação de Sócrates de que "a vida sem reflexão não vale a pena ser vivida"?
3. Como Sócrates responde às acusações que lhe são feitas?

Sócrates e as leis de Atenas
4. Por que, segundo Sócrates, é importante ouvir as leis de Atenas?
5. Quais os argumentos que as leis de Atenas contrapõem à proposta de Críton para que Sócrates fuja para o exílio?
6. A condenação de Sócrates, tendo sido injusta, permite que ele escape da sentença de morte e fuja para o exílio, como quer Críton, ou a fuga significaria responder a uma injustiça com outra? Qual o argumento de Sócrates a esse respeito?

O mito de Epimeteu
7. Qual o sentido do mito de Epimeteu e Prometeu?
8. Como Platão caracteriza, nesse mito, a natureza humana em relação à dos animais?
9. Por que foi necessário que Prometeu roubasse o fogo divino?
10. Qual a importância e o papel da ciência para os seres humanos?
11. Por que não devemos considerar a política como uma ciência, isto é, um saber especializado? Você concorda com isso?
12. Que consequências teria para a cidade a posição, criticada por Protágoras, segundo a qual a decisão política deveria pertencer apenas a alguns poucos sábios?

13. Como você interpreta a tese de Protágoras de que "o homem é a medida de todas as coisas" em relação a esse texto?

O amor
14. Como podemos entender a importância filosófica do amor?
15. Quais os vários sentidos de "amor"?

A reminiscência
16. Qual o objetivo de Sócrates ao procurar mostrar que o escravo de Mênon é capaz de demonstrar o teorema de Pitágoras?
17. De que maneira esta demonstração é realizada?
18. Qual a relação entre a demonstração do teorema e o problema da natureza da virtude e da possibilidade de ensiná-la?

A Alegoria da caverna
19. Como Platão representa a realidade na Alegoria da Caverna?
20. Como se dá o processo de libertação do prisioneiro? Por que o prisioneiro sofre ao ser libertado?
21. Qual a concepção de conhecimento que se encontra neste texto?
22. Por que o prisioneiro, uma vez tendo se libertado e se transformado no sábio, deve voltar à caverna?
23. O que ocorre na volta do prisioneiro à caverna?
24. Qual o papel do filósofo segundo a Alegoria da Caverna?

LEITURAS SUGERIDAS

Platão
Diálogos, Rio de Janeiro, Ediouro, 3 vols., 1996.
A República, Lisboa, Calouste Gulbenkian, 1991.
Platão, col. Os Pensadores, São Paulo, Nova Cultural, 5.ed. 1991.

Sobre Platão:
Platão por mitos e hipóteses, de Lygia Araújo Watanabe, São Paulo, Moderna, 1996.
Platão, de Abel Jeannière, Rio de Janeiro, Zahar, 1995.
Platão em 90 minutos, de Paul Strathern, Rio de Janeiro, Zahar, 1997.

ARISTÓTELES

Aristóteles nasceu em Estagira na Macedônia em 384 a.C.; aos dezoito anos foi para Atenas interessado em estudar filosofia. Filiou-se à Academia de Platão, sendo considerado seu mais brilhante discípulo. Após a morte de Platão (348 a.C.) afastou-se da Academia e seguiu seu próprio caminho, vindo a ser preceptor de Alexandre, filho do rei Filipe da Macedônia e futuro conquistador de um grande império. De volta a Atenas, em 335 a.C., fundou a sua própria escola, o Liceu. Aristóteles gostava de lecionar e discutir com seus discípulos dando caminhadas, daí a origem do nome "escola peripatética" (de *peripatos*, caminho), como também ficou conhecida sua escola.

Sua filosofia desenvolveu-se em oposição à da Academia, criticando sobretudo o dualismo dos platônicos que, segundo Aristóteles, estabelecia uma dicotomia insuperável entre a realidade material do mundo natural e a realidade abstrata do mundo das formas.

A influência de Aristóteles na formação do pensamento ocidental — não apenas filosófico, mas também científico, político, literário — foi imensa. O pensamento aristotélico e o platônico constituíram de fato as duas grandes vias de desenvolvimento da filosofia clássica, principalmente ao longo do período medieval, quando São Tomás de Aquino se inspira em Aristóteles para desenvolver seu sistema tomista, assim como Santo Agostinho havia se inspirado em Platão ao elaborar um platonismo cristão.

A obra de Aristóteles perdeu-se na Antiguidade logo após a sua morte, tendo sua escola se dividido em várias correntes. Posteriormente, seus textos foram em parte recuperados, e o que conhecemos de sua obra resulta de uma edição preparada por Andrônico de Rodes, que reviveu a escola aristotélica em Roma por volta de 50 a.C.

METAFÍSICA
O conhecimento

> O texto que se segue é o texto de abertura da *Metafísica* (I, 1), uma das mais importantes e influentes obras de Aristóteles. Seu objetivo é apresentar uma definição ampla de conhecimento e de seu processo de formação desde as sensações até o saber teórico, passando pela experiência, a técnica (arte) e os vários tipos de ciência. Examina as características desses diferentes tipos de conhecimento, definindo a filosofia como a ciência das causas primeiras. É interessante contrastar a concepção de conhecimento de Aristóteles nesse texto com a de Platão na Alegoria da Caverna (ver p.39): enquanto Platão apresenta em sua visão dialética o conhecimento como resultado de um longo e penoso processo de conversão da alma que se afasta do mundo sensível em direção à visão do sol, Aristóteles caracteriza esse processo de forma muito mais linear e cumulativa, desde as impressões sensíveis até o pensamento abstrato.

❝ Por natureza, todos os homens desejam o conhecimento. Uma indicação disso é o valor que damos aos sentidos; pois, além de sua utilidade, são valorizados por si mesmos e, acima de tudo, o da visão. Não apenas com vistas à ação, mas mesmo quando não se pretende ação alguma, preferimos a visão, em geral, a todos os outros sentidos. A razão disso é que a visão é, de todos eles, o que mais nos ajuda a conhecer coisas, revelando muitas diferenças.

Ora, os animais nascem por natureza com o poder da sensação, daí adquirindo alguns a faculdade da memória, enquanto outros não. Por conseguinte, os primeiros são mais inteligentes e capazes de aprender do que aqueles que não podem se lembrar. Aqueles que não ouvem sons (como a abelha ou qualquer criatura semelhante) são inteligentes, mas não conseguem aprender; só são capazes de aprender os que possuem esse sentido, além da faculdade da memória.

Assim, os outros animais vivem de impressões e memórias e só têm pequena parcela de experiência; mas a raça humana vive também de arte (*techne*) e raciocínio. É pela memória que os homens adquirem experiência, porque as inúmeras lembranças da mesma coisa produzem finalmente o efeito de uma experiência única. A experiência parece muito semelhante à ciência e à arte, mas na verdade é pela experiência que os homens adquirem ciência e arte; pois, como diz Pólo com razão, "a experiência produz arte, mas a inexperiência produz o acaso". A arte se produz quando, a partir de muitas noções da experiência, se forma um único juízo universal a respeito de objetos semelhantes. Julgar que quando Cálias estava sofrendo dessa ou daquela doença isso ou aquilo lhe fez bem, o mesmo acontecendo com Sócrates e vários outros indivíduos, é questão de experiência; mas julgar que a mesma coisa faz bem a todas as pessoas de certo tipo, consideradas como classe, que sofrem dessa ou daquela doença (por exemplo, os encatarrados ou biliosos que ardem em febre) é questão de arte.

Pareceria que para efeitos práticos a experiência não é de modo algum inferior à arte; com efeito, vemos homens de experiência tendo mais sucesso do que aqueles que possuem a teoria sem a experiência. A razão disso é que a experiência é conhecimento de coisas particulares, ao passo que a arte trata de universais; e as ações e os efeitos que produzem se referem ao particular. Porque não é o homem que o médico cura, senão casualmente, e sim Cálias, Sócrates ou alguma outra pessoa que tem igualmente um nome e é por acaso também um homem. Assim, se um homem tem teoria sem experiência e conhece o universal mas não o particular nele contido, com frequência falha no seu tratamento, pois é o particular que deve ser tratado. No entanto achamos que o conhecimento e a eficiência são antes questão de arte que de experiência e supomos que os artistas são mais sábios que os homens apenas experientes (o que implica que em todos os casos a sabedoria depende sobretudo do conhecimento), e isso porque aqueles conhecem a causa e estes não. Pois o homem de experiência conhece o fato mas não o porquê, enquanto os artistas conhecem o porquê e a causa. Pela mesma razão estimamos mais os mestres de toda profissão e achamos que sabem mais e são mais sagazes que os artesãos, pois conhecem as razões das coisas produzidas; mas achamos que os artesãos, como certos objetos inanimados, fazem coisas sem saber o que estão fazendo (assim como o fogo queima, por exemplo); só que, enquanto os objetos inanimados desempenham todas as suas funções em virtude de certa qualidade natural, os artesãos realizam as suas por hábito. Assim os mestres são superiores em sabedoria não porque podem fazer coisas, mas porque possuem uma teoria e conhecem as causas.

Em geral, o sinal de conhecimento ou ignorância é a capacidade de ensinar e por essa razão achamos que a arte, e não a experiência, constitui conhecimento científico; porque os artistas podem ensinar e os outros, não. Além disso, não consideramos nenhum dos sentidos como sendo a Sabedoria. Eles são de fato nossas principais fontes de conhecimento sobre as coisas particulares, mas não nos dizem a razão de nada, como por exemplo por que o fogo é quente, mas apenas que ele *é* quente.

É portanto provável que de início o inventor de qualquer arte que foi além das sensações ordinárias tenha sido admirado pelos companheiros não apenas porque algumas das suas invenções fossem úteis, mas como uma pessoa sábia e superior. E à medida que mais e mais artes iam sendo descobertas, algumas ligadas às necessidades da vida e outras à recreação, os inventores destas últimas eram sempre considerados mais sábios que os daquelas, porque seus ramos de conhecimento não visavam a utilidade. Daí, quando todas as descobertas desse tipo haviam sido plenamente desenvolvidas, inventaram-se as ciências que não se relacionam nem ao prazer nem às necessidades da vida, e primeiro naqueles lugares onde os homens gozavam de tempo livre. Assim, as ciências matemáticas surgiram na região do Egito, porque ali a classe sacerdotal tinha tempo disponível.

A diferença entre a arte e a ciência, de um lado, e as outras atividades mentais análogas, de outro, foi exposta na *Ética*; a razão da presente discussão é que geralmente se supõe que o que chamamos Sabedoria diz respeito às causas e princípios primeiros, de modo que, como já vimos, o homem de experiência é considerado mais sábio do que os meros possuidores de uma faculdade sensível qualquer, o artista mais do que o homem de experiência, o mestre mais do que o artesão e as ciências especulativas mais doutas do que as práticas. Assim, está claro que Sabedoria é o conhecimento de certas causas e princípios.

METAFÍSICA
Crítica aos platônicos

> O sexto capítulo do livro I da *Metafísica* contém uma crítica explícita à filosofia de Platão, especificamente à teoria das Ideias, sistematizando as principais dificuldades do dualismo platônico, ou seja, da relação entre o mundo das formas e o mundo natural. Alguns historiadores da filosofia grega consideram que Aristóteles retoma nesse texto algumas discussões acerca da teoria das Ideias já encontradas na própria Academia e que aparecem em certos diálogos platônicos como, por exemplo, na primeira parte do *Parmênides*.

As doutrinas filosóficas descritas acima foram sucedidas pela doutrina de Platão, que em muitos aspectos concordava com elas mas continha também certas características peculiares, distintas da filosofia da escola italiana. Na mocidade, Platão conheceu primeiro Crátilo e as doutrinas heraclíticas — segundo as quais todo o mundo sensível está sempre fluindo e não existe dele um conhecimento científico — e mais tarde ainda conservava essas opiniões. E quando Sócrates, desprezando o universo físico e limitando seu estudo a questões morais, procurou o universal nesse campo e foi o primeiro a se concentrar nas definições, Platão seguiu-o e supôs que o problema da definição não se refere a coisa alguma sensível mas a entidades de outro tipo, pela razão de que não pode haver definição geral de coisas sensíveis, que estão sempre mudando. Chamou essas entidades de "Ideias" e afirmou que todas as coisas sensíveis são nomeadas segundo elas e em virtude de sua relação com elas; pois a pluralidade de coisas que têm o mesmo nome das Ideias correspondentes existe por participarem delas. (Quanto à "participação", foi apenas o termo que ele mudou; pois enquanto os pitagóricos dizem que as coisas existem por imitação dos números, Platão diz que elas existem por participação — meramente uma mudança de termo. Quanto ao que venha a ser tal "participação" ou "imitação", eles deixaram a questão em aberto.)

Além disso, ele afirma que, além das coisas sensíveis e das Ideias, existe uma classe intermediária, os *objetos da matemática*, que diferem das coisas sensíveis por serem eternos e imutáveis e das Ideias pelo fato de existirem muitos objetos de matemática similares, ao passo que cada Ideia é única.

Ora, uma vez que as Ideias são as causas de tudo o mais, ele supôs que seus elementos são os elementos de todas as coisas. Consequentemente, o princípio material é "o Grande e o Pequeno" e o princípio formal essencial é o Um, pois os números derivam do "Grande e (do) Pequeno" por participação no Um. Ao tratar o Um como substância em vez de predicado de alguma outra entidade, sua doutrina assemelha-se à dos pitagóricos e também concorda com ela ao afirmar que os números são as causas do Ser em tudo o mais; mas é específico dele postular uma dualidade em vez do único Ilimitado e fazer o Ilimitado consistir do "Grande e (do) Pequeno". Também é específico dele considerar os números distintos das coisas sensíveis, enquanto os pitagóricos sustentam que as próprias coisas *são* números e não postulam uma classe intermediária de objetos matemáticos. A distinção que faz entre, de um lado, o Um e os números e, de outro, as coisas comuns (no que diferia dos pitagóricos) e a introdução das Ideias deve-se à sua investigação da lógica (os pensadores anteriores eram estranhos à dialética); sua concepção do outro princípio como uma dualidade decorreu da crença de que os números não primos podem ser prontamente gerados por ele como de uma matriz. O fato, porém, é exatamente o contrário e a teoria não tem lógica, pois enquanto os platônicos derivam a multiplicidade da matéria, embora sua Forma gere somente uma vez, é óbvio que apenas uma mesa pode ser feita de uma peça de madeira e, no entanto, aquele que lhe dá forma, apesar de ser um só, pode fazer muitas mesas. Tal é também a relação entre macho e fêmea: a fêmea é engravidada numa cópula, mas um macho pode engravidar muitas fêmeas. E essas relações são análogas aos princípios referidos.

Esse, pois, é o veredito de Platão para a questão que investigamos. Desse relato fica claro que ele considerava apenas duas causas: a essencial e a material; porque as Ideias são a causa da essência em tudo o mais e o Um é a causa da essência nas Ideias. Ele também nos diz qual é o substrato material de que as Ideias são dotadas no caso das coisas sensíveis e o que é o Um no caso das Ideias — o que vem a ser essa dualidade, "o Grande e o Pequeno". Além disso, ele atribuía a esses dois elementos a origem, respectivamente, do bem e do mal, problema que, como dissemos, tinha sido também examinado por alguns dos filósofos anteriores, como Empédocles e Anaxágoras.

METAFÍSICA
A filosofia

> No segundo capítulo do livro I da *Metafísica*, que se segue ao texto anterior, Aristóteles retoma sua definição inicial de filosofia, encontrada ao final daquele texto, como "ciência de determinadas causas e princípios", examinando-a em maior detalhe. É nesse texto que encontramos a famosa caracterização da filosofia como oriunda do "espanto" ou da "admiração" diante das coisas, o que nos motivaria então a procurar respostas, levando-nos em última análise até as causas primeiras e princípios mais gerais.

Uma vez que estamos investigando esse tipo de conhecimento, devemos examinar o que são essas causas e princípios cujo conhecimento constitui Sabedoria. Talvez fique mais claro se considerarmos as opiniões que temos sobre o homem sábio. Achamos, primeiro, que o homem sábio sabe todas as coisas, na medida do possível, sem ter ciência de cada uma delas individualmente; depois, que o homem sábio é aquele que consegue compreender coisas difíceis, aquelas que não são fáceis para a compreensão humana (pois a percepção sensorial, sendo comum a todos, é fácil e nada tem a ver com a Sabedoria); e, por fim, que em todo ramo de conhecimento um homem é mais sábio na medida em que está mais bem informado e é mais capaz de expor as suas causas. Além disso, entre as ciências consideramos que aquela que é desejável por si mesma e pelo bem do conhecimento está mais próxima da Sabedoria do que aquela que é desejável por seus resultados, e que o superior é mais próximo da Sabedoria que o subsidiário; pois o homem sábio deve dar ordens, não recebê-las; também não deve obedecer aos outros, mas ser obedecido pelos menos sábios.

Tais são, em gênero e número, as opiniões que temos sobre a Sabedoria e o sábio. Decorre das qualidades aí descritas que o conhecimento de tudo deve necessariamente pertencer àquele que no mais alto grau possui conhecimento do universal, pois ele conhece em certo sentido todas as coisas particulares que o compõem. Essas coisas, a saber, as mais universais, são talvez as mais difíceis para o homem compreender, pois são as mais afastadas dos sentidos. E as ciências mais exatas são aquelas mais preocupadas com os primeiros princípios, pois aquelas baseadas em menos princípios são mais exatas que as que incluem princípios adicionais — por exemplo, a aritmética é mais exata que a geometria. Além disso, a ciência que investiga causas é mais instrutiva do que uma que não o faz, pois é aquela que nos diz as causas de qualquer coisa particular que nos instrui. Ademais, o conhecimento e o entendimento desejáveis por si mesmos são mais alcançáveis no conhecimento daquilo que é mais cognoscível. Pois o homem que deseja o conhecimento por si mesmo vai desejar sobretudo o conhecimento mais perfeito, que é o conhecimento do mais cognoscível, e as coisas mais cognoscíveis são os princípios e causas primeiros; porque é através e a partir destas que outras coisas vêm a ser conhecidas e não esses princípios através das coisas particulares por eles compreendidas. E é suprema e superior às subsidiárias a ciência que sabe com que fim cada ação deve se realizar, fim que é o Bem em cada caso particular e, em geral, o Bem supremo de toda a natureza.

Assim, em consequência de todas as considerações acima, o termo que estamos examinando inclui-se na mesma ciência que deve especular sobre os primeiros princípios e causas; pois o Bem, isto é, o *fim*, é uma das causas.

Que não se trata de uma ciência prática fica claro através de um exame dos primeiros filósofos. É pela indagação que os homens começam agora e começaram originalmente a filosofar, indagando-se em primeiro lugar sobre perplexidades óbvias e, depois, em progressão gradual, fazendo perguntas também sobre as questões maiores, como as mudanças da lua e do sol, as estrelas e a origem do universo. Ora, quem indaga e está perplexo sente-se ignorante (assim o mitômano é em certo sentido um filósofo, porquanto os mitos se compõem de indagações); de modo que, se foi para escapar à ignorância que os homens estudaram filosofia, é óbvio que procuraram a ciência pelo conhecimento e não por qualquer utilidade prática. O curso efetivo dos acontecimentos é prova disso, pois as especulações desse tipo começaram numa época em que praticamente todas as necessidades da vida já estavam supridas. Então fica claro que não é por vantagem extrínseca alguma que buscamos esse conhecimento; pois, exatamente como dizemos independente um homem que existe para si mesmo e não para outro, assim dizemos que essa é a única ciência independente, porquanto é a única que existe para si mesma.

Por essa razão, é de supor justamente que a sua aquisição está além do poder humano, uma vez que sob muitos aspectos a natureza humana é servil; caso em que, como diz Simônides, "só Deus pode ter esse privilégio", devendo o homem buscar somente o conhecimento ao seu alcance. Com efeito, se os poetas estão certos e a Divindade é por natureza invejosa, é provável que seja nesse caso particularmente invejosa, e infelizes todos aqueles que excelem em conhecimento. Mas é impossível à Divindade ter inveja (com efeito, como diz o provérbio, "os poetas falam muita mentira"), nem devemos supor que outra forma qualquer de conhecimento seja mais preciosa que essa, pois o que é mais divino é mais precioso. Ora, só há duas maneiras pelas quais esse conhecimento pode ser divino. Uma ciência é divina se for tipicamente propriedade de Deus ou se ocupar-se de questões divinas. E só esta ciência preenche ambas as condições: porque (*a*) todos acreditam que Deus é uma das causas e um princípio e (*b*) é o único ou maior possuidor desse tipo de conhecimento. Consequentemente, embora todas as outras ciências sejam mais necessárias que esta, nenhuma a supera em excelência.

A aquisição desse conhecimento, no entanto, deve em certo sentido resultar em algo que é o reverso da perspectiva com a qual iniciamos a investigação. Tudo começa, como dissemos, com a indagação de por que as coisas são como são, por exemplo as marionetes, os solstícios ou a imensurabilidade da diagonal de um quadrado; porque, para quem ainda não percebeu, parece maravilhosa a causa pela qual uma coisa não é mensurável pela menor unidade. Mas devemos acabar com a visão contrária e (de acordo com o provérbio) a melhor, como fazem os homens mesmo nesses casos quando compreendem as causas; pois um geômetra não indagaria tanto uma coisa quanto o faria se a diagonal se tornasse mensurável.

Assim expomos qual é a natureza da ciência que buscamos e a que objeto deve visar nossa busca e toda a nossa investigação.

ÉTICA A NICÔMACO
A virtude é um hábito

> Esse texto do célebre tratado aristotélico de ética pode ser contrastado com o *Mênon* (ver p.32), pois enquanto Platão afirma a impossibilidade de se ensinar a virtude, Aristóteles sustenta que a virtude é um hábito e, portanto, não só pode, mas também deve ser ensinada, constituindo-se talvez numa das tarefas mais importantes da educação do homem.

" Como já vimos, há duas espécies de excelência: a intelectual e a moral. Em grande parte a excelência intelectual deve tanto o seu nascimento quanto o seu desenvolvimento à instrução (por isto ela requer experiência e tempo); quanto à excelência moral, ela é o produto do hábito, razão pela qual seu nome é derivado, com uma ligeira variação, da palavra "hábito". É evidente, portanto, que nenhuma das várias formas de excelência moral se constitui em nós por natureza, pois nada que existe por natureza pode ser alterado pelo hábito. Por exemplo, a pedra, que por natureza se move para baixo, não pode ser habituada a mover-se para cima, ainda que alguém tente habituá-la jogando-a dez mil vezes para cima; tampouco o fogo pode ser habituado a mover-se para baixo, nem qualquer outra coisa que por natureza se comporta de certa maneira pode ser habituada a comportar-se de maneira diferente. Portanto, nem por natureza nem contrariamente à natureza a excelência moral é engendrada em nós, mas a natureza nos dá a capacidade de recebê-la, e esta capacidade se aperfeiçoa com o hábito.

Além disto, em relação a todas as faculdades que nos vêm por natureza recebemos primeiro a potencialidade, e somente mais tarde exibimos a atividade (isto é claro no caso dos sentidos, pois não foi por ver repetidamente ou repetidamente ouvir que adquirimos estes sentidos; ao contrário, já os tínhamos antes de começar a usufruí-los, e não passamos a tê-los por usufruí-los); quanto às várias formas de excelência moral, todavia, adquirimo-las por havê-las efetivamente praticado, tal como fazemos com as artes. As coisas que temos de aprender antes de fazer, aprendemo-las fazendo-as — por exemplo, os homens se tornam construtores construindo, e se tornam citaristas tocando cítara; da mesma forma, tornamo-nos justos praticando atos justos, moderados agindo moderadamente, e corajosos agindo corajosamente. Esta asserção é confirmada pelo que acontece nas cidades, pois os legisladores formam os cidadãos habituando-os a fazerem o bem; esta é a intenção de todos os legisladores; os que não a põem corretamente em prática falham em seu objetivo, e é sob este aspecto que a boa constituição difere da má.

Ademais, toda excelência moral é produzida e destruída pelas mesmas causas e pelos mesmos meios, tal como acontece com toda parte, pois é tocando a cítara que se formam tanto os bons quanto os maus citaristas, e uma afirmação análoga se aplica aos construtores e a todos os profissionais; os homens são bons ou maus construtores por construírem bem ou mal. Com efeito, se não fosse assim não haveria necessidade de professores, pois todos os homens teriam nascido bem ou mal dotados para as suas profissões. Logo, acontece o mesmo com as várias formas de excelência moral; na prática de atos em que temos de engajar-nos dentro de nossas relações com outras pessoas, tornamo-nos justos ou injustos; na prática de atos em situações perigosas, e adquirindo o hábito de sentir receio ou confiança, tornamo-nos corajosos ou covardes. O mesmo se aplica aos desejos e à ira; algumas pessoas se tornam moderadas e amáveis, enquanto outras se tornam concupiscentes ou irascíveis, por se comportarem de maneiras diferentes nas mesmas circunstâncias. Em uma palavra, nossas disposições morais resultam das atividades correspondentes às mesmas. É por isto que devemos desenvolver nossas atividades de uma maneira predeterminada, pois nossas disposições morais correspondem às diferenças entre nossas atividades. Não será pequena a diferença, então, se formarmos os hábitos de uma maneira ou de outra desde nossa infância; ao contrário, ela será muito grande, ou melhor, ela será decisiva.

TRATADO DA ALMA
A natureza da alma

> O *Tratado da alma* de Aristóteles é a primeira investigação sistemática de questões sobre a natureza da alma e, portanto, o ponto de partida de uma discussão que dará origem posteriormente à psicologia. A passagem aqui apresentada se inicia com uma consideração mais geral de questões metodológicas, procurando estabelecer a especificidade da análise sobre a alma e indicando os diferentes ângulos sob os quais esta análise deve ser realizada, o que será feito no desenvolvimento da obra.

[402a] O conhecimento é uma das coisas que consideramos boas e valiosas, especialmente esse tipo de conhecimento que se caracteriza por seu rigor e por dizer respeito a coisas importantes e extraordinárias. Por ambos os motivos é justo considerarmos a investigação acerca da alma [*psyché*] como uma das formas mais elevadas de conhecimento. Mas o conhecimento sobre a alma também pode ser considerado de grande valia para o entendimento mais completo da verdade e especialmente da natureza. Pois a alma é, por assim dizer, o primeiro princípio dos seres vivos. Procuramos contemplar e conhecer sua natureza e substância, bem como as características que lhe são acidentais. Dentre estas, algumas são consideradas afecções peculiares à alma, outras pertencem também ao animal em virtude de ter uma alma. De modo geral, e em todos os sentidos, trata-se de uma das coisas mais difíceis alcançar um entendimento sobre a alma.

Ora, uma vez que uma investigação deste tipo é comum a vários outros assuntos, isto é, uma investigação sobre o que uma coisa é e sobre qual a sua substância, alguns talvez pensem que haja um método que possa ser aplicado a tudo isso cuja substância desejamos conhecer, semelhante à demonstração das características individuais e acidentais, de tal forma que é esse método que deveríamos procurar. Mas se não há um único método comum para a investigação de particulares; então, colocar em prática nossa investigação torna-se ainda mais difícil. Pois temos que compreender em cada caso qual o método de investigação a ser utilizado. Mas mesmo se estiver claro que nosso método de investigação deve ser a demonstração ou a divisão, ou ainda algum outro, permanecem muitos outros pontos problemáticos e controvertidos acerca do ponto de partida de nossa investigação. Pois os pontos de partida de diferentes ciências são diferentes, por exemplo como ocorre com a ciência dos números e com geometria plana.

Mas talvez seja necessário distinguir primeiro a que gênero a alma pertence e no que consiste, quer dizer, se é uma coisa particular, ou uma substância, ou se trata de uma quantidade ou qualidade, ou alguma das outras categorias que distinguimos, ou ainda se se trata de algo em potência ou em ato. Pois estas distinções são importantes. [402b] Devemos também considerar se tem partes ou não, bem como se toda alma é do mesmo tipo, e, caso contrário, se apresentam distinções por espécie ou por gênero. Pois, até o momento, os que discorrem sobre a alma e a investigam parecem considerar apenas a alma humana. Mas devemos ter o cuidado de não esquecer a questão sobre se é possível dar uma única explicação acerca da alma, como damos do animal em geral, ou uma explicação diferente em cada caso, por exemplo como fazemos com cavalo, cão, homem e deus, não existindo na realidade o homem em geral, mas apenas em um sentido secundário. Eis uma questão que pode ser levantada acerca de qualquer predicado comum. Mas, se não há vários tipos de almas, mas apenas partes de almas, então precisamos decidir se devemos em primeiro lugar investigar a alma como um todo ou as suas partes. Mas também neste caso é difícil determinar quais as partes que são por natureza distintas umas das outras. E é difícil saber se devemos investigar primeiro as partes da alma ou suas funções; por exemplo, primeiro o pensar ou o intelecto, primeiro o perceber ou a faculdade da percepção, e assim por diante com todas as outras partes e funções. Mas se for a função que decidimos examinar primeiramente, alguém pode ainda questionar se não são os objetos dessas funções que devemos examinar em primeiro lugar; por exemplo, o objeto da percepção antes da faculdade de perceber, ou o objeto do pensamento antes do intelecto. [...]

[403a] As afecções da alma também apresentam uma dificuldade. Não está claro se todas essas afecções são partes de quem tem a alma ou se alguma delas pertence à alma ela própria. Devemos decidir isto, embora não seja fácil. Parece realmente que na maioria dos casos do que afeta a alma ou do que esta produz, a alma não pode fazê-lo sem o corpo — sentir raiva, por exemplo, ter

uma expectativa, desejar ou perceber em geral. Mas particularmente o pensar é uma afecção peculiar da alma. Entretanto, se isso também depende da imaginação ou é impossível sem a imaginação, então também não seria possível sem o corpo. Porém, se há alguma função ou afecção da alma que lhe seja peculiar, então a alma poderia ser separada do corpo, enquanto que se não houver nada que lhe seja peculiar, não seria capaz de existir separadamente. [...] No caso da alma parece que todas as suas afecções pertencem a ela em união com o corpo, tais como a raiva, a timidez, o medo, a piedade, a esperança e até mesmo a alegria, o amor e o ódio. Pois em todos esses casos o corpo é afetado de alguma maneira. Uma clara indicação disso se dá, por vezes, quando, embora sujeitos a aflições fortes e marcantes, os homens não se desesperam nem se acovardam, embora em outros casos se alterem por sofrimentos leves e pequenos, quando o corpo se encontra em estado de exaltação ou na condição física do homem que sente raiva. Mas há ainda um sinal mais claro disso, no caso em que nada de assustador ocorre e no entanto o homem sente as afecções características de quem tem medo. Se realmente isto se dá, as afecções da alma são evidentemente formas envolvendo matéria. Portanto, assim devem ser definidas: a raiva, por exemplo, como um certo tipo de movimento em um determinado corpo, ou em alguma parte ou capacidade desse corpo, produzido por algo de determinado tipo e com uma finalidade determinada. Estas considerações tornam a investigação da alma, seja da alma em geral, seja de um certo tipo de alma, tarefa do filósofo natural.

Mas o filósofo natural e o dialético darão definições diferentes para cada uma dessas afecções. Por exemplo, no caso da pergunta "O que é a raiva?", o dialético dirá que se trata de um desejo de retaliação, o filósofo natural dirá que se trata de um aquecimento do sangue e de fluidos quentes do coração. Um dá a matéria, o outro a forma da explicação. [403b] Pois a explicação é dada pela forma, mas esta para existir necessita da matéria da coisa particular.

POLÍTICA
O homem é um animal político

> O texto aristotélico da *Política* teve uma grande influência no desenvolvimento da ciência política em nossa tradição e faz parte de um conjunto de estudos que inclui o exame de um grande número de constituições das cidades-estados gregas da época, das quais só chegou até nós *A Constituição de Atenas*. A passagem selecionada contém a célebre definição aristotélica do homem como "animal político" (*zoon politikón*).

> É evidente que a cidade faz parte das coisas naturais, e que o homem é por natureza um animal político. E aquele que por natureza, e não simplesmente por acidente, se encontra fora da cidade ou é um ser degradado ou um ser acima dos homens, segundo Homero (*Ilíada* IX, 63) denuncia, tratando-se de alguém: *sem linhagem, sem lei, sem lar.*
>
> Aquele que é naturalmente um marginal ama a guerra e pode ser comparado a uma peça fora do jogo. Daí a evidência de que o homem é um animal político mais ainda que as abelhas ou que qualquer outro animal gregário. Como dizemos frequentemente, a natureza não faz nada em vão; ora, o homem é o único entre os animais a ter linguagem [*logos*]. O simples som é uma indicação do prazer ou da dor, estando portanto presente em outros animais, pois a natureza destes consiste em sentir o prazer e a dor e em expressá-los. Mas a linguagem tem como objetivo a manifestação do vantajoso e do desvantajoso, e portanto do justo e do injusto. Trata-se de uma característica do homem ser ele o único que tem o senso do bom e do mau, do justo e do injusto, bem como de outras noções deste tipo. É a associação dos que têm em comum essas noções que constitui a família e o Estado.

QUESTÕES E TEMAS PARA DISCUSSÃO

O conhecimento
1. Como Aristóteles explica o ponto de partida do conhecimento?
2. Qual a relação entre os sentidos e a memória segundo Aristóteles?
3. Como Aristóteles explica a diferença entre a "arte" (*techne*) e a ciência?
4. Como você interpreta a afirmação de Aristóteles de que "o sinal do saber está em poder ensinar"?

Crítica aos platônicos
5. Qual a principal crítica de Aristóteles aos platônicos?
6. Qual a dificuldade central que Aristóteles atribui ao dualismo de Platão?
7. Qual o principal problema, segundo Aristóteles, na caracterização da natureza das ideias pelo platonismo?

A filosofia
8. Que relação se pode estabelecer entre a definição de filosofia e a de ciência no texto anterior?

A virtude é um hábito
9. Como você interpreta a afirmação de Aristóteles segundo a qual a virtude é um hábito?
10. Compare a posição de Aristóteles acerca da virtude com a de Platão no *Mênon* (ver capítulo anterior).

A natureza da alma
11. Qual a definição preliminar de alma que encontramos no *Tratado da alma*?
12. Que distinções é necessário fazer acerca da natureza da alma, segundo esse mesmo texto?
13. Como Aristóteles justifica a união entre o corpo e a alma?

O homem é um animal político
14. Por que, segundo Aristóteles, devemos afirmar que o homem é um animal político?
15. Qual a importância da linguagem para Aristóteles?

LEITURAS SUGERIDAS

Aristóteles
Metafísica, Porto Alegre, Globo, 1969.
Ética a Nicômaco, Brasília, Ed. Universidade de Brasília, 1985.
Aristóteles, col. Os Pensadores, São Paulo, Nova Cultural, 1996.

Sobre Aristóteles:
Aristóteles, de Anne Cauquelin, Rio de Janeiro, Zahar, 1995.
Aristóteles em 90 minutos, de Paul Strathern, Rio de Janeiro, Zahar, 1997.

SANTO AGOSTINHO

Santo Agostinho é o primeiro grande pensador a elaborar uma síntese sistemática entre a tradição filosófica grega, mais especificamente o platonismo, e o cristianismo. Influenciado pela escola cristã neoplatônica de Alexandria, que inaugura essa aproximação com a filosofia grega — através do neoplatonismo de Plotino e de Mário Vitorino e dos textos de São Paulo — Santo Agostinho desenvolve um pensamento de grande originalidade, retomando temas centrais da filosofia de Platão, como a reminiscência, o dualismo, a natureza do Bem, e interpretando-os à luz da doutrina cristã.

Aurélio Agostinho nasceu em 354 em Tagaste no norte da África, então uma província romana, hoje parte da Argélia. Mestre de retórica, foi lecionar na Itália e, em Milão, conheceu Santo Ambrósio, então bispo da cidade, cujos sermões o impressionaram vivamente. Convertido ao cristianismo, Agostinho foi autor de uma extensa obra filosófica e teológica, incluindo comentários exegéticos ao Antigo e ao Novo Testamento, tratados doutrinários como *A doutrina cristã* e *A Trindade*, além de diálogos de inspiração platônica como *Sobre o mestre*. Morreu em 430 como bispo de Hipona, cidade da região onde nascera, às vésperas da invasão da África pelos vândalos e pouco antes da queda do Império Romano.

Nas *Confissões*, escritas entre 397 e 401, Agostinho apresenta um relato biográfico de sua experiência, desde o desregramento de sua juventude, a influência de sua mãe, Mônica, que era cristã, até o encontro com Ambrósio e a conversão ao cristianismo. Ao mesmo tempo reflete sobre temas centrais da filosofia, como a natureza do Bem e do Mal, a questão da linguagem, o problema do conhecimento, a relação do homem com Deus. Trata-se de uma obra em estilo confessional, pode-se dizer mesmo quase existencial, dada a ênfase em sua experiência pessoal, em sua vivência dos problemas que discute.

As passagens aqui selecionadas permitem compreender a aproximação entre o platonismo e a tradição cristã. Note-se sobretudo a este respeito as inúmeras citações e referências a textos do Antigo e Novo Testamentos, como que corroborando a linha de argumentação de Santo Agostinho e servindo-lhe de inspiração.

CONFISSÕES
A cristianização do platonismo

> Os dois primeiros textos aqui selecionados, os capítulos 20 e 21 do Livro VII das *Confissões*, intitulado "A caminho de Deus", revelam a influência do *neoplatonismo* em Santo Agostinho, mostrando o sentido em que esta filosofia permite uma aproximação com o cristianismo pela importância que atribui ao mundo abstrato e espiritual, mas ao mesmo tempo indicando os seus limites como um saber que é superado pela revelação e pela fé do cristão.

❝ Mas após a leitura daqueles livros dos platônicos e de ser levado por eles a buscar a verdade incorpórea, percebi que "as perfeições invisíveis são visíveis em suas obras" (*Epístola de São Paulo aos romanos*, 1, 20). Repelido em meu esforço senti que as trevas de minha alma não me permitiam contemplar: experimentei a certeza de sua existência e infinitude, sem contudo estender-vos pelos espaços finitos e infinitos. Sabia que Vós éreis verdadeiramente Aquele que permanece imutável, sem Vos transformardes em outro, quer seja em parte por meio de algum movimento, quer seja de qualquer outra forma. Sabia que todas as coisas se originam em Vós pelo único e certíssimo motivo de que existem. Sim, eu tinha a certeza disso. Porém era demasiado fraco para gozar de Vossa existência.

Tagarelava e enchia minha boca como um sabichão, mas se não buscasse o caminho para Vós em Cristo Nosso Salvador, seria apenas um perituro e não um perito.* Já então cheio de meu castigo começava a desejar parecer um sábio; não chorava e, além disso, inflava-me com a ciência.

Onde se encontrava aquela caridade que se ergue sobre o alicerce de humildade que é Jesus Cristo? Quando é que estes livros me ensinariam esta caridade? Por isso, segundo considero, Vós quisestes que eu fosse ao seu encontro antes de meditar sobre as Vossas Escrituras, para ter impresso em minha memória o sentimento que nelas experimentei.

Depois, quando em Vossos livros encontrasse então a paz de espírito e tivesse minhas feridas curadas pelo toque de Vossos dedos, discerniria perfeitamente a diferença entre a presunção e a humildade, entre aqueles que veem para onde se deve ir e aqueles que não veem por onde se deve ir, nem veem o caminho que leva à pátria bem-aventurada. Esta será não apenas objeto e contemplação, mas lugar e morada.

---

* Trata-se de um jogo de palavras, muito a gosto de Santo Agostinho, entre perito, "sábio", "especialista", e perituro, "aquele que perecerá".

Ora, se antes de tudo me tivesse instruído em Vossas Sagradas Escrituras, e, familiarizado com elas, sentisse a Vossa doçura, se me deparasse então com aqueles livros (dos platônicos), talvez eles me arrancassem do sólido fundamento da piedade. Ou se persistisse no sentimento salutar que deles tinha extraído, julgaria que alguém que aprendesse apenas por meio destes livros também poderia alcançar neles o mesmo sentimento espiritual.

Lancei-me assim avidamente à venerável escrita de Vosso espírito, preferindo, entre outros autores, o apóstolo Paulo. Com isso eliminaram-se as dificuldades que me pareciam surgir das contradições entre os textos de seus discursos e os testemunhos da Lei e dos Profetas. Compreendi a unidade deste discurso puro e aprendi a "exultar em tremor" (*Salmos*, 2, 11). Começando a lê-los notei que tudo que havia de verdadeiro nos textos platônicos também se encontrava nesses textos em meio à proclamação de Vossa graça, que aquele que vê não se glorifique como se não tivesse recebido não apenas aquilo que vê, mas a própria possibilidade de ver (com efeito, o que pode ele ter que não tenha recebido?) (*Epístola de São Paulo aos coríntios*, I, 4, 7). E Vós que sois sempre o mesmo, não apenas o admoestais para que Vos veja, mas para que se cure para Vos possuir. E aquele que não puder ver de longe, que percorra o caminho pelo qual possa vir a contemplar-Vos e possuir-Vos. Com efeito, mesmo que o homem se compraza "na lei de Deus enquanto homem interior" que fará ele (*Epístola de São Paulo aos romanos*, 7, 22) se "em seus membros descobre outra lei que combate contra a lei que minha inteligência ratifica, fazendo dele prisioneiro da lei do pecado que está nos seus membros" (id.ib.)? Por isso Vós, Senhor sois justo em tudo o que fizestes; porém nós pecamos, somos iníquos, agimos de modo ímpio e a Vossa mão pesou sobre nós (*Daniel*, 3, 27; *Salmos*, 31, 4). Assim fomos por razões justas entregues ao pecador antigo, ao príncipe da morte, porque ele persuadiu a nossa vontade a ser como a dele, e portanto "ele não se manteve na verdade" (*Evangelho segundo São João*, 8, 44).

O que poderá fazer o infeliz homem? "Quem o livrará deste corpo que pertence à morte? Graças sejam dadas a Deus por Jesus Cristo, Nosso Senhor" (*Epístola de São Paulo aos romanos*, 7, 24), que Vós gerastes coeterno e criastes no princípio de Vossos caminhos, e em relação ao qual o príncipe deste mundo não encontrou nada que merecesse a morte, porém o matou e assim "anulou o protesto que os mandamentos exibiam contra nós" (*Epístola de São Paulo aos colossenses*, 2, 14).

Ora, isto não está dito nos livros platônicos. Estas páginas não apresentam a imagem desta piedade, as lágrimas da confissão, nem o "vosso sacrifício, o espírito contrito, um coração despedaçado e triturado" (*Salmos*, 51, 19), nem a salvação do povo, nem a cidade preparada como esposa (*Apocalipse*, 21, 2), nem o penhor do Espírito Santo (*Segunda Epístola de São Paulo aos coríntios*, 5, 5), nem a taça da vitória (*Salmos*, 116, 13). Lá ninguém canta: minha alma não deverá estar submetida a Deus? "Minha alma está tranquila diante de Deus, minha salvação vem Dele" (*Salmos*, 62, 2-3) e Dele não me afastarei.

Nos livros platônicos ninguém ouve a exclamação "Vinde a mim todos vós que estais cansados" (*Evangelho segundo São Mateus*, 11, 28). Desdenham de aprender Dele, porque é manso e tem o coração humilde. "Ocultaste isto aos sábios e aos inteligentes e o revelaste aos pequeninos" (*Evangelho segundo São Mateus*, 11, 25). Uma coisa é ver da montanha arborizada a terra da paz sem encontrar o caminho para ela, em vão tentando através de vias inacessíveis, sob o ataque insidioso de seus desertores e fugitivos liderados pelo "leão" e pelo "dragão" (*Salmos*, 91, 13); outra coisa é perseverar no caminho que para lá conduz, sob a proteção do general celeste, onde os que desertaram do exército do Paraíso não podem roubar, pois o evitam como um tormento.

Todas essas coisas penetraram-me até as entranhas de modos admiráveis, ao ler "o menor dos apóstolos" (*Epístola de São Paulo aos coríntios*, 15, 9), enchendo-me de espanto ao meditar sobre as vossas obras. 〞

CONFISSÕES
O problema do Mal

> Questões sobre a natureza do mal ou por que existe o mal em um mundo criado por um Deus bom e qual a relação entre o bem e o mal sempre foram centrais nas discussões sobre ética na tradição cristã desde a sua origem. Santo Agostinho havia inicialmente simpatizado com o maniqueísmo, uma religião fundada por Mani (216-277), um sacerdote de origem síria, combinando elementos de várias religiões orientais. A crença central do maniqueísmo consiste em afirmar a existência de dois princípios fundamentais que governam o universo, o Bem e o Mal, representados pela Luz e pelas Trevas, e que são equivalentes em força, estando em permanente combate. O maniqueísmo difundiu-se bastante, havendo similaridades entre esta religião e o cristianismo. Após sua conversão e o desenvolvimento de seu pensamento, Santo Agostinho passa a combater explicitamente o maniqueísmo em várias obras, defendendo uma posição acerca da natureza do bem e do Mal de inspiração claramente platônica. Segundo sua interpretação, o Mal não tem existência real ou positiva, caracterizando-se apenas como carência, imperfeição, ausência do Bem. O capítulo 12 do livro VII das *Confissões* é um dos textos em que Santo Agostinho trata dessa questão mais explicitamente.

> Vi claramente que todas as coisas boas podem, entretanto, se corromper, e não se poderiam corromper se fossem sumamente boas, nem tampouco se não fossem boas. Se fossem absolutamente boas seriam incorruptíveis, e se não houvesse nada de bom nelas, não poderiam se corromper. Com efeito, a corrupção é nociva e se não reduzisse o bem não seria nociva. Portanto, ou a corrupção não prejudica em nada, o que não é admissível, ou todas as coisas que se corrompem são privadas de *algum bem*; quanto a isso não há dúvidas. Mas se fossem privadas de *todo o Bem*, deixariam completamente de existir. Se existissem e não pudessem ser alteradas, seriam melhores porque permaneceriam incorruptíveis. O que seria mais monstruoso do que afirmar que as coisas se tornariam melhores ao perderem todo o Bem? Por isso, se privadas de todo o Bem, deixariam totalmente de existir. Portanto, enquanto existem, são boas. Portanto, todas as coisas que existem são boas, e o Mal que eu procurava não é uma substância, pois se fosse substância seria um bem. Na verdade, ou seria uma substância incorruptível e então seria um grande bem, ou seria corruptível e, neste caso, a menos que fosse boa, não poderia se corromper. Percebi, portanto, e isto pareceu-me evidente, que criastes todas as coisas boas e não existe nenhuma substância que Vós não criastes. E porque não criastes todas as coisas iguais, todas as coisas individualmente são boas, e em conjunto são muito boas, pois Deus viu que tudo que havia feito era muito bom (*Gênesis*, 1, 31).

CONFISSÕES
Quem é Deus?

> A possibilidade de se conhecer Deus como um ser transcendente, portanto além de nosso alcance, é uma das questões centrais da teologia e da filosofia cristã. Santo Agostinho indica que o caminho para Deus passa por nosso interior, pela alma, a parte mais nobre e elevada do homem como ser criado à imagem e semelhança de Deus. Nesse texto das *Confissões* (Livro X, capítulo 6), encontramos de forma bastante explícita a dicotomia exterior/interior, bem como a valorização da realidade interior, concepção que influenciará fortemente a visão moderna de subjetividade.

> É com certeza, Senhor, e não com dúvida que em minha consciência eu Vos amo. Vós atingistes meu coração com a Vossa palavra e assim Vos amei. O céu, a terra e tudo que neles existe conclamam-me por toda parte a

amar-Vos. Não cessam de repetir a todos os homens que não têm desculpas (*Epístola de São Paulo aos romanos*, 1, 20). Vós tereis mais compaixão com aqueles por quem já tivestes compaixão e tereis misericórdia por aqueles com quem já fostes misericordioso. Ou então apenas a ouvidos surdos o céu e a terra cantariam os Vossos louvores.

Mas o que amo, quando Vos amo? Não amo a beleza física, nem a glória temporal, nem o brilho da luz, tão agradável a meus olhos, nem as doces melodias de vários tipos de canções, nem o suave perfume das flores, nem os aromas, nem as especiarias, nem o mel ou o maná, nem os membros tão disponíveis aos abraços da carne. Nada disso eu amo, quando amo o meu Deus. E, contudo, amo uma luz, uma voz, um perfume, um alimento e um abraço, quando amo o meu Deus, luz, voz, perfume e abraço do homem interior, onde brilha em minha alma uma luz que nenhum espaço pode conter, onde soa uma voz que o tempo não enfraquece, onde se exala um perfume que o vento não dissipa, onde se saboreia um alimento que a voracidade não diminui, onde se sente um contato que a saciedade não elimina. Isso é o que amo quando amo o meu Deus.

Mas quem é Deus?

Perguntei à terra e esta me disse: "Não o sou." E tudo que nela se encontra respondeu-me o mesmo. Perguntei ao mar e às profundezas dos abismos e as criaturas que aí habitam responderam: "Não somos o teu Deus, busca acima de nós." Perguntei aos ventos que sopram e ao ar, com seus habitantes, que responderam, "Anaxímenes estava enganado, não sou o teu Deus." Interroguei o céu, o sol, a lua e as estrelas, que me disseram: "Tampouco nós somos o Deus que procuras." E disse a todas as criaturas que rodeiam as portas de minha carne: "Já que todos vós dizeis que não sois o meu Deus, dizei-me então algo sobre Ele." E todos exclamaram em alto e bom som: "Foi Ele quem nos criou." A minha pergunta consiste em contemplá-las e sua beleza era a sua resposta. Voltei-me então para mim mesmo e perguntei: "E tu, quem és?" "Um homem, respondi." E sou composto de um corpo e de uma alma, o primeiro, exterior, a segunda, interior. A qual destes eu deveria perguntar quem é o meu Deus, uma vez que já tinha procurado com meu corpo desde a terra até os céus, até onde pude enviar como meus mensageiros os raios de meus olhos? Mas a melhor parte é a interior, pois é a ela, como aquela que preside e julga, que os mensageiros do corpo reportam todas as respostas dos céus, da terra e de todas as coisas que aí se encontram, dizendo: "Não somos Deus, mas foi Ele quem nos criou." O homem interior conheceu esta verdade através do ministério do homem exterior. Eu, homem interior, dotado de uma alma, soube disso por meio dos sentidos de meu corpo. Perguntei a toda a imensidão do universo sobre o meu Deus e tive como resposta: "Não sou eu, mas foi Ele quem me criou."

Mas não se manifesta esta beleza a todos que têm os sentidos perfeitos? Porém, por que não fala a todos do mesmo modo? Os animais, pequenos e grandes, veem a beleza, mas não a podem interrogar, já que não possuem a razão, juiz que julga aquilo que os sentidos lhe reportam. Os homens podem interrogar, já que as perfeições invisíveis de Deus são visíveis em suas obras, para a inteligência (*Epístola de São Paulo aos romanos*, 1, 20). Mas submetem-se a elas pelo amor e assim já não as podem julgar. As criaturas não respondem a todos que as interrogam, mas apenas aos que as julgam. Não mudam sua voz, isto é, sua aparência, se alguém apenas a vê ou se a vê e a interroga. Portanto não aparecem de um modo a um e de outro modo a outro, mas se aparecem do mesmo modo a ambos, a um são mudas, a outro falam. Na verdade, falam a todos, mas apenas a compreendem aqueles que comparam a voz exterior com a verdade interior. A verdade interior diz: "O teu Deus não é o céu. Nem a terra, nem nenhum corpo." E a natureza de tudo isso exclama: "Vede que a matéria é menor na parte que no todo." Por isso te digo, oh minha alma, que és superior ao corpo, pois dás vida à matéria de meu corpo, o que nenhum corpo pode fazer a outro, e o teu Deus é também para ti vida de tua vida.

QUESTÕES E TEMAS PARA DISCUSSÃO

A cristianização do platonismo
1. Como Santo Agostinho vê a relação entre a filosofia platônica e a religião cristã?

O problema do Mal
2. Por meio de que argumento Santo Agostinho procura mostrar que o Mal pressupõe a existência do Bem?
3. Como Santo Agostinho define o Mal neste texto?

Quem é Deus?
4. Como é possível, segundo Santo Agostinho, chegarmos ao conhecimento de Deus?
5. Qual a distinção que encontramos no texto entre o exterior e o interior do homem?
6. Como você interpreta o uso feito por Santo Agostinho, nos textos acima, de passagens da Bíblia? Que papel teriam essas citações?

LEITURAS SUGERIDAS

Santo Agostinho
Confissões, Petrópolis, Vozes, 1988.
A cidade de Deus, Petrópolis, Vozes, 1990.
Santo Agostinho, col. Os Pensadores, São Paulo, Nova Cultural.

Sobre Santo Agostinho:
Santo Agostinho em 90 minutos, de Paul Strathern, Rio de Janeiro, Zahar, 1999.

SÃO TOMÁS DE AQUINO

São Tomás de Aquino (1224-74) tem, no período final da Idade Média, importância semelhante à de Santo Agostinho em seu início. Sua influência no desenvolvimento da filosofia e da teologia cristãs a partir de então equivale à de Santo Agostinho no período de formação do pensamento medieval cristão. Enquanto o pensamento de Santo Agostinho representa o desenvolvimento de uma filosofia cristã inspirada em Platão, o pensamento de São Tomás reabilita a filosofia de Aristóteles — até então vista sob suspeita pela Igreja — mostrando ser possível desenvolver uma leitura de Aristóteles compatível com a doutrina cristã. O aristotelismo tomista abriu caminho para o estudo da obra aristotélica e para a legitimação do interesse pelas ciências naturais, um dos principais motivos do interesse por Aristóteles nesse período.

Além de extensos comentários às mais importantes obras de Aristóteles, a quem, com admiração, São Tomás chamava de "O Filósofo", sua principal contribuição à filosofia se encontra nas grandes sínteses das principais questões filosóficas e teológicas da época, a *Suma contra os gentios* e a *Suma teológica*. Obras ao mesmo tempo de grande rigor analítico e de profunda argumentação dialética, serviram de modelo ao desenvolvimento posterior da escolástica, que contudo raramente alcançou a mesma originalidade.

SUMA TEOLÓGICA
As cinco vias da prova da existência de Deus

O texto que se segue representa uma das contribuições mais significativas de São Tomás à discussão da questão, central na filosofia cristã, da prova da existência de Deus pela razão. Ilustra assim um dos aspectos mais importantes do pensamento de São Tomás, a concepção segundo a qual a razão procura demonstrar racionalmente aquilo que a fé revela, sendo portanto um caminho para a fé.

As "cinco vias" consistem em cinco grandes linhas de argumentação por meio das quais se pode provar que Deus existe. Sua importância reside sobretudo em que supõe a possibilidade de se chegar ao entendimento de Deus, ainda que de forma parcial e indireta, a partir da consideração do mundo natural, do cosmo, entendido como criação divina. É possível assim reconhecer, pela razão, as marcas do Criador em sua Criação. Ora, enquanto obra de Deus e resultado da Criação divina, o mundo natural passa a ser assim objeto digno de conhecimento para o cristão.

É importante ressaltar a influência do pensamento de Aristóteles na filosofia de São Tomás, refletida aqui nas referências que São Tomás faz aos tratados aristotélicos de *Física* (na discussão sobre a natureza do movimento na primeira via) e de *Metafísica* (na discussão sobre a causa eficiente na segunda via), bem como seu emprego de conceitos aristotélicos como o de necessidade, existência, finalidade ou causa final (na quinta via, o argumento teleológico).

O texto revela também o estilo argumentativo de São Tomás, que busca examinar uma questão em todos os seus diferentes ângulos, dialeticamente antecipando e respondendo a possíveis objeções.

Três questões podem ser formuladas sobre a existência de Deus:
1. A existência de Deus é uma verdade evidente?
2. A existência de Deus pode ser demonstrada?
3. Deus existe?

1. Parece-nos que a existência de Deus é evidente. Com efeito, denominamos verdades evidentes aquelas cujo conhecimento está em nós naturalmente, como é o caso dos primeiros princípios. Ora, segundo diz Damasceno: "O conhecimento da existência de Deus é inato a todos os homens." Portanto, a existência de Deus é evidente.

2. Por outro lado, denominamos evidentes as verdades que conhecemos desde que compreendemos o significado dos termos que as exprimem. É o que o Filósofo (*Segundos analíticos*, I, 3) atribui aos primeiros princípios da demonstração. De fato, quando entendemos o significado do todo e o significado da parte, entendemos, de imediato, que o todo é maior que a parte. Ora, desde que tenhamos compreendido o significado da palavra "Deus", sabemos, de imediato, que Deus existe. Com efeito, esta palavra designa uma coisa de tal

ordem que não podemos conceber nada que lhe seja maior. Ora, o que existe na realidade e no pensamento é maior do que o que existe apenas no pensamento. Donde se segue que o objeto designado pela palavra "Deus", que existe no pensamento, desde que se entenda esta palavra, também existe na realidade. Por conseguinte, a existência de Deus é evidente.

3. Além disso, a existência da verdade é evidente, pois aquele que nega a existência da verdade concorda que a verdade não existe. Mas, se a verdade não existe, a não existência da verdade é uma afirmação verdadeira. E se alguma coisa é verdadeira, então a verdade existe. Ora, Deus é a própria verdade, segundo São João, 14, 6: "Eu sou o caminho, a verdade e a vida." Por conseguinte, a existência de Deus é evidente.

Por outro lado, ninguém pode pensar o oposto do que é evidente, conforme mostra o Filósofo (*Metafísica*, IV; *Segundos analíticos*, I, 10) a propósito dos primeiros princípios da demonstração. Ora, o oposto da existência de Deus pode ser pensado, conforme diz o Salmo 52, 1: "Os insensatos dizem a si mesmos: Deus não há." Logo, a existência de Deus não é evidente.

Resposta: Temos duas maneiras de dizer que uma coisa é evidente. Esta pode ser evidente em si mesma e não por nós; ou pode ser evidente em si mesma e por nós. Com efeito, uma proposição é evidente quando o atributo está contido no sujeito, por exemplo: o homem é um animal. Animal, realmente, pertence à noção de homem. Se, portanto, todos sabem o que são o sujeito e o atributo de uma proposição, esta proposição será conhecida por todos. É verdadeiro, pelos princípios das demonstrações, que o termo são coisas gerais que todos conhecem como o ser e o não-ser, o todo e a parte etc. Mas se alguns desconhecem o atributo e o sujeito de uma proposição, então a proposição será evidente em si mesma, mas não para aqueles que ignoram o que são sujeito e atributo. É neste sentido que Boécio afirma: "Certos juízos só são conhecidos pelos sábios; por exemplo, aquele segundo o qual os seres incorpóreos não estão em um mesmo lugar." Por conseguinte, afirmo que a proposição "Deus é", considerada em si mesma, é evidente por si mesma, já que o atributo é idêntico ao sujeito. Como veremos mais adiante, Deus, de fato, é o seu ser. Mas como não sabemos o que Deus é, esta proposição não é evidente para nós; precisa ser demonstrada por aquilo que é menos conhecido na realidade, mas mais conhecido para nós, isto é, pelos efeitos.

À primeira objeção devemos responder que, em estado vago e confuso, o conhecimento da existência é naturalmente inato em nós, uma vez que Deus é a felicidade do homem. De fato, o homem deseja naturalmente a felicidade, e, o que ele deseja naturalmente, ele conhece naturalmente. Mas isto não é, propriamente, conhecer a existência de Deus; da mesma maneira que não podemos saber quem chega sem conhecer Pedro, quando é o próprio Pedro que chega. Muitos, de fato, consideram o supremo bem para o ser humano a riqueza, outros os prazeres, e outros várias outras coisas.

À segunda, podemos responder que aqueles que ouvem a palavra "Deus" podem ignorar que essa palavra designa algo de que não se pode conceber nada que lhe seja maior. Alguns, com efeito, acreditaram que Deus fosse um corpo. Mesmo que defendamos que todos entendem a palavra "Deus" neste sentido, isto não significa que representem a existência desta coisa como real e não como apenas uma representação mental. E não se pode concluir que existe realmente, exceto caso se admita que essa coisa realmente existe. Ora, mas isso não é admitido por aqueles que rejeitam a existência de Deus.

À terceira devemos responder que a existência da verdade indeterminada é evidente por si mesma, mas que a existência da primeira verdade não é evidente em si mesma para nós.

Respondo dizendo que a existência de Deus pode ser demonstrada por cinco vias. A primeira e mais evidente é a que toma por base o movimento. É certo, e está de acordo com nossa experiência, que algo se move no mundo. Tudo que se move é movido por outra coisa, pois nada se move se não estiver em potência para aquilo para o que se move; porém, o que move deve estar em ato para aquilo que move, já que mover não é senão fazer algo passar de potência para ato; ora, mas nada pode passar de potência para ato senão por meio de um ser que já está em ato; por exemplo, o quente em ato, como o fogo, torna a madeira, que é quente em potência, em quente em ato, movendo-a e alterando-a. É impossível que a mesma coisa seja ao mesmo tempo em potência e em ato em relação ao mesmo, mas apenas em relação a diversas coisas: aquilo que é quente em ato não pode ser ao mesmo tempo quente em potência. É impossível que no mesmo sentido e do mesmo modo algo seja movente e movido, ou que se mova a si mesmo. Tudo que se move deve, portanto, ser movido por outra coisa. Mas, se aquilo pelo qual algo é movido também se move, é indispensável que seja movido por outra coisa e assim sucessivamente. Se não houvesse um primeiro movente cairíamos então em um processo indefinido ou, caso contrário, chegaríamos a algo que não seria movido, já que os segundos moventes só movem se forem movidos pelo primeiro movente, assim como uma bengala nada move, se não for ela própria movida pela mão. Portanto, é necessário chegar a um primeiro movente que não seja movido por nenhum outro: e este todos entendem ser Deus.

A segunda via baseia-se na causa eficiente. Encontramos nas coisas sensíveis uma ordem de causas eficientes, já que nada pode ser causa eficiente de si mesmo, pois se assim o fosse existiria antes de si mesmo, o que é impossível. Também não é possível proceder indefinidamente nas causas eficientes. Em todas as causas eficientes ordenadas, em primeiro lugar está a causa do que se encontra no meio, e o que se encontra no meio é causa do que está em último lugar, tanto se os intermediários forem muitos, quanto se for um só; tiradas as causas, tira-se o efeito; logo, se não for primeiro nas causas eficientes, não será nem em último, nem no meio. Se, porém, procedermos de forma indefinida nas causas eficientes, não haverá primeira causa eficiente, e portanto não haverá também nem efeito último nem causas intermediárias, o que é evidentemente falso. Logo é necessário admitir alguma causa eficiente primeira, à qual todos chamam de Deus.

A terceira via é baseada no possível e no necessário. Encontramos dentre as coisas algumas que podem ser ou não ser, já que encontramos algumas que são geradas e se corrompem, e por isso mesmo podem ser ou não ser. É impossível que todas essas coisas existam sempre, pois o que pode não ser alguma vez não é. Se todas as coisas podem não ser, alguma vez nada existiu. Se assim fosse na verdade, também agora nada existiria, pois o que não existe não começa a existir senão a partir de algo que existe; se, entretanto, nada existia, seria impossível que algo começasse a existir, e assim nada absolutamente existiria, o que é evidentemente falso. Portanto, nem todos os seres são possíveis, mas é indispensável que algum ser seja necessário. Todo ser necessário ou tem a causa de sua necessidade como externa ou não. É impossível, porém, que procedamos indefinidamente em relação aos seres necessários, que têm uma causa de sua necessidade, como também nas causas eficientes, da forma como provamos. Logo, é necessário admitir algo que seja necessário por si, não tendo fora dele a causa de sua necessidade, antes pelo contrário, que seja ele mesmo a causa da necessidade dos outros: a este ser todos chamam de Deus.

A quarta via tem por base os graus que se encontram nas coisas. Encontramos, com efeito, nas coisas, algo mais ou menos bom, verdadeiro, nobre, e assim por diante. O "mais" ou "menos" é dito acerca dos diversos seres conforme se aproximam de forma diferente daquilo que é o máximo, como o mais quente é aquilo que se aproxima do quentíssimo. Existe algo que é o verdadeiríssimo, ótimo, nobilíssimo e, por conseguinte, o ser máximo, pois as coisas que são verdadeiras ao máximo são os maiores seres, como é dito no livro II da *Metafísica*. O que é máximo em algum gênero é causa de tudo o que é daquele gênero, como o fogo, que é o máximo do quente, é a causa de todos os quentes, como é dito no mesmo livro. Logo, existe algo que é a causa da existência de todos os seres, e da bondade e de qualquer perfeição, e a este chamamos Deus.

A quinta via é derivada do governo das coisas. Vemos que as coisas que não têm inteligência, como, por exemplo, os corpos naturais, agem para uma finalidade, o que se mostra pelo fato de sempre ou frequentemente agirem da mesma forma, para conseguirem o máximo, donde se segue que não é por acaso, mas intencionalmente, que atingem seu objetivo. As coisas, entretanto, que não têm inteligência só podem procurar um objetivo dirigidas por alguém que conhece e é inteligente, como a flecha dirigida pelo arqueiro. Logo, existe algum ser inteligente que ordena todas as coisas da natureza para seu correspondente objetivo: a este ser chamamos Deus.

QUESTÕES E TEMAS PARA DISCUSSÃO

1. Qual o objetivo de São Tomás de Aquino ao formular "As cinco vias da prova da existência de Deus"?
2. Qual a importância da causalidade na argumentação de São Tomás de Aquino?
3. Que relação podemos estabelecer entre as "cinco vias"?
4. Em que sentido podemos entender a "terceira via" como "argumentou cosmológico"?
5. Qual a concepção de Deus que encontramos nas "cinco vias"?

LEITURAS SUGERIDAS

São Tomás de Aquino
Suma teológica, Rio de Janeiro, Loyola, 2002.
São Tomás de Aquino, col. Os Pensadores, São Paulo, Nova Cultural, 1996.

Sobre São Tomás:
A filosofia na Idade Média, de Etienne Gilson, São Paulo, Martins Fontes, 1995.
São Tomás de Aquino em 90 minutos, de Paul Strathern, Rio de Janeiro, Zahar, 1999.

DESCARTES

René Descartes (1596-1650), nascido em La Haye, na região de Touraine na França, e falecido em Estocolmo, na Suécia — onde dava lições de filosofia e de ciências à rainha Cristina —, foi um dos filósofos mais importantes do século XVII, tendo influenciado de forma decisiva a formação e o desenvolvimento do pensamento moderno. Contemporâneo de Galileu, Descartes se considerava não só filósofo, mas também cientista. Grande matemático, destaca-se sua contribuição à geometria, tendo se dedicado também à física e à investigação da natureza humana. Sua obra filosófica adota uma posição dualista acerca da natureza do corpo e da alma, dando forte ênfase à subjetividade na análise do processo do conhecimento e caracterizando-se pelo rigor analítico e argumentativo. Ao mesmo tempo, adota um estilo literário bastante pessoal, destacando-se nesse sentido o texto das *Meditações metafísicas*, sua obra filosófica mais importante.

Descartes considerava um de seus objetivos primordiais a fundamentação da nova ciência natural então nascente, defendendo sua validade diante dos erros da ciência antiga e mostrando a necessidade de se encontrar o verdadeiro método científico que colocasse a ciência no caminho correto para o desenvolvimento do conhecimento, o que se propõe no *Discurso do método*.

As principais contribuições de Descartes à tradição epistemológica moderna se encontram na adoção da questão da fundamentação da ciência como problema central, dando ênfase à discussão da metodologia científica, bem como em sua geometria algébrica, que abre caminho para a matematização da natureza. A estas se acrescenta sua contribuição no campo da psicologia, pelo desenvolvimento do método introspeccionista, por sua análise da subjetividade e da consciência, e por suas discussões sobre a natureza da mente e de nossos estados mentais.

MEDITAÇÕES METAFÍSICAS
Das coisas que se podem colocar em dúvida

> O texto que se segue apresenta a estratégia de Descartes de refutação do ceticismo, interpretado como a negação da possibilidade do conhecimento. Seu ponto de partida consiste em adotar a posição cética, radicalizando-a e levando-a às suas últimas consequências para então mostrar que é de uma posição insustentável. Trata-se assim de uma refutação por absurdo, isto é, buscando mostrar que a posição do adversário leva ao absurdo. Descartes assume inicialmente as teses centrais do ceticismo, inspirando-se em alguns filósofos da época que haviam retomado a tradição cética grega. Os argumentos que formula são em grande parte derivados de textos dos antigos céticos e de seus seguidores modernos, possivelmente filósofos do século XVI como Francisco Sanchez e Michel de Montaigne. Encontramos aí o questionamento dos sentidos como fonte confiável de conhecimento, o argumento do sonho e da ilusão, que coloca em dúvida nossas impressões sensíveis porque quando sonhamos ou nos iludimos elas parecem verdadeiras, e, finalmente, o que se pode considerar a contribuição de Descartes à argumentação cética, a dúvida hiperbólica, ou exagerada: o argumento do Deus enganador. Descartes imagina um ser todo poderoso que interfere sistematicamente em nosso processo de conhecimento de tal forma que não possamos ter certeza de nada.

❝ 1. Há já algum tempo eu me apercebi de que, desde meus primeiros anos, recebera muitas falsas opiniões como verdadeiras, e de que aquilo que depois eu fundamentei em princípios tão mal assegurados não podia ser senão muito duvidoso e incerto; de modo que me era necessário tentar seriamente, uma vez em minha vida, desfazer-me de todas as opiniões a que até então dera crédito, e começar tudo novamente desde os fundamentos, se quisesse estabelecer algo de firme e de constante nas ciências. Mas, parecendo-me ser muito grande essa empresa, aguardei atingir uma idade que fosse tão madura que não pudesse esperar outra após ela, na qual eu estivesse mais apto para executá-la; o que me fez adiá-la por tão longo tempo que doravante acreditaria cometer uma falta se empregasse ainda em deliberar o tempo que me resta para agir.

2. Agora, pois, que meu espírito está livre de todos os cuidados, e que consegui um repouso assegurado numa pacífica solidão, aplicar-me-ei seriamente e com liberdade em destruir em geral todas as minhas antigas opiniões. Ora,

não será necessário, para alcançar esse desígnio, provar que todas elas são falsas, o que talvez nunca levasse a cabo; mas, uma vez que a razão já me persuade de que não devo menos cuidadosamente impedir-me de dar crédito às coisas que não são inteiramente certas e indubitáveis do que às que nos parecem manifestamente ser falsas, o menor motivo de dúvida que eu nelas encontrar bastará para me levar a rejeitar todas. E, para isso, não é necessário que examine cada uma em particular, o que seria um trabalho infinito; mas, visto que a ruína dos alicerces carrega necessariamente consigo todo o resto do edifício, dedicar-me-ei inicialmente aos princípios sobre os quais todas as minhas antigas opiniões estavam apoiadas.

3. Tudo o que recebi, até presentemente, como o mais verdadeiro e seguro, aprendi-o dos sentidos ou pelos sentidos: ora, experimentei algumas vezes que esses sentidos eram enganosos, e é de prudência nunca se fiar inteiramente em quem já nos enganou uma vez.

4. Mas, ainda que os sentidos nos enganem às vezes, no que se refere às coisas pouco sensíveis e muito distantes, encontramos talvez muitas outras, das quais não se pode razoavelmente duvidar, embora as conhecêssemos por intermédio deles: por exemplo, que eu esteja aqui, sentado junto ao fogo, vestido com um chambre, tendo este papel entre as mãos e outras coisas desta natureza. E como poderia eu negar que estas mãos e este corpo sejam meus? A não ser talvez que eu me compare a esses insensatos, cujo cérebro está de tal modo perturbado e ofuscado pelos negros vapores da bile que constantemente asseguram que são reis quando são muito pobres; que estão vestidos de ouro e de púrpura quando estão inteiramente nus; ou imaginam ser cântaros ou ter um corpo de vidro. Mas quê? São loucos e eu não seria menos extravagante se me guiasse por seus exemplos.

5. Todavia, devo aqui considerar que sou homem e, por conseguinte, que tenho o costume de dormir e de representar, em meus sonhos, as mesmas coisas, ou algumas vezes menos verossímeis, que esses insensatos em vigília. Quantas vezes ocorreu-me sonhar, durante a noite, que estava neste lugar, que estava vestido, que estava junto ao fogo, embora estivesse inteiramente nu dentro de meu leito? Parece-me agora que não é com olhos adormecidos que contemplo este papel; que esta cabeça que eu mexo não está dormente; que é com desígnio e propósito deliberado que estendo esta mão e que a sinto: o que ocorre no sono não parece ser tão claro nem tão distinto quanto tudo isso. Mas, pensando cuidadosamente nisso, lembro-me de ter sido muitas vezes enganado, quando dormia, por semelhantes ilusões. E, detendo-me neste pensamento, vejo tão manifestamente que não há quaisquer indícios concludentes, nem marcas assaz certas, por onde se possa distinguir nitidamente a

vigília do sono, que me sinto inteiramente pasmado: e meu pasmo é tal que é quase capaz de me persuadir de que estou dormindo.

6. Suponhamos, pois, agora, que estamos adormecidos e que todas essas particularidades, a saber, que abrimos os olhos, que mexemos a cabeça, que estendemos as mãos, e coisas semelhantes, não passam de falsas ilusões; e pensemos que talvez nossas mãos, assim como todo o nosso corpo, não são tais como os vemos. Todavia, é preciso ao menos confessar que as coisas que nos são representadas durante o sono são como quadros e pinturas, que não podem ser formados senão à semelhança de algo real e verdadeiro; e que assim, pelo menos, essas coisas gerais, a saber, olhos, cabeça, mãos e todo o resto do corpo, não são coisas imaginárias, mas verdadeiras e existentes.

Pois, na verdade, os pintores, mesmo quando se empenham com o maior artifício em representar sereias e sátiros por formas estranhas e extraordinárias, não lhes podem, todavia, atribuir formas e naturezas inteiramente novas, mas apenas fazem certa mistura e composição dos membros de diversos animais; ou então, se porventura sua imaginação for assaz extravagante para inventar algo de tão novo, que jamais tenhamos visto coisa semelhante, e que assim sua obra nos represente uma coisa puramente fictícia e absolutamente falsa, certamente ao menos as cores com que eles a compõem devem ser verdadeiras. [...]

9. Todavia, há muito que tenho no meu espírito certa opinião de que há um Deus que tudo pode e por quem fui criado e produzido tal como sou. Ora, quem me poderá assegurar que esse Deus não tenha feito com que não haja nenhuma terra, nenhum céu, nenhum corpo extenso, nenhuma figura, nenhuma grandeza, nenhum lugar e que, não obstante, eu tenha os sentimentos de todas essas coisas e que tudo isso não me pareça existir de maneira diferente daquela que eu vejo? E, mesmo, como julgo que algumas vezes os outros se enganam até nas coisas que eles acreditam saber com maior certeza, pode ocorrer que Deus tenha desejado que eu me engane todas as vezes em que faço a adição de dois mais três, ou em que enumero os lados de um quadrado, ou em que julgo alguma coisa ainda mais fácil, se é que se pode imaginar algo mais fácil do que isso. Mas pode ser que Deus não tenha querido que eu seja decepcionado desta maneira, pois ele é considerado soberanamente bom. Todavia, se repugnasse à sua bondade fazer-me de tal modo que eu me enganasse sempre, pareceria também ser-lhe contrário permitir que eu me engane algumas vezes e, no entanto, não posso duvidar de que ele me permita.

10. Haverá talvez aqui pessoas que preferirão negar a existência de um Deus tão poderoso a acreditar que todas as outras coisas são incertas. Mas não lhes resistamos no momento e suponhamos, em favor delas, que tudo quanto aqui é dito de um Deus seja uma fábula. Todavia, de qualquer maneira que supo-

nham ter eu chegado ao estado e ao ser que possuo, quer o atribuam a algum destino ou fatalidade, quer o refiram ao acaso, quer queiram que isto ocorra por uma contínua série e conexão das coisas, é certo que, já que falhar e enganar-se é uma espécie de imperfeição, quanto menos poderoso for o autor a que atribuírem minha origem, tanto mais será provável que eu seja de tal modo imperfeito que me engane sempre. Razões às quais nada tenho a responder, mas sou obrigado a confessar que, de todas as opiniões que recebi outrora em minha crença como verdadeiras, não há nenhuma da qual não possa duvidar atualmente, não por alguma inconsideração ou leviandade, mas por razões muito fortes e maduramente consideradas: de sorte que é necessário que interrompa e suspenda doravante meu juízo sobre tais pensamentos, e que não mais lhes dê crédito, como faria com as coisas que me parecem evidentemente falsas, se desejo encontrar algo de constante e de seguro nas ciências. [...]

12. Suporei, pois, que há não um verdadeiro Deus, que é a soberana fonte da verdade, mas certo gênio maligno, não menos ardiloso e enganador do que poderoso, que empregou toda a sua indústria em enganar-me. Pensarei que o céu, o ar, a terra, as cores, as figuras, os sons e todas as coisas exteriores que vemos são apenas ilusões e enganos de que ele se serve para surpreender minha credulidade. Considerar-me-ei a mim mesmo absolutamente desprovido de mãos, de olhos, de carne, de sangue, desprovido de quaisquer sentidos, mas dotado da falsa crença de ter todas essas coisas. Permanecerei obstinadamente apegado a esse pensamento; e se, por esse meio, não está em meu poder chegar ao conhecimento de qualquer verdade, ao menos está ao meu alcance suspender meu juízo. Eis por que cuidarei zelosamente de não receber em minha crença nenhuma falsidade, e prepararei tão bem meu espírito a todos os ardis desse grande enganador que, por poderoso e ardiloso que seja, nunca poderá impor-me algo. 🙵

MEDITAÇÕES METAFÍSICAS
O argumento do cogito

> O argumento do cogito é a saída de Descartes para o impasse ao qual o argumento do Deus enganador, visto na passagem anterior, o levara. Se a existência do Deus enganador nos leva a colocar tudo em dúvida, já que não podemos ter certeza de nada, então tudo que nos resta é precisamente a dúvida. Ora, a dúvida é uma forma de pensamento, portanto duvidar é pensar. Isso mostra que a existência do pensamento não pode ser colocada em dúvida,

já que duvidar é pensar. Mas, se há o pensamento, há o ser pensante. Este é o sentido fundamental da famosa fórmula "Penso, logo existo" (*Discurso do método*, IV) ou melhor, "Penso, existo", como encontramos no texto. A existência do ser pensante é assim, para Descartes, a primeira certeza, a certeza indubitável, uma evidência que resiste a qualquer dúvida cética, até mesmo à mais radical, o argumento do Deus enganador. Contudo, o argumento do cogito apenas prova a existência do ser pensante, que se caracteriza como puro pensamento e não estabelece nenhuma certeza sobre o mundo exterior, sobre o mundo natural, objeto do conhecimento científico pretendido por Descartes e motivo da discussão cética. O ceticismo encontrado na argumentação de Descartes é, por isso mesmo, conhecido como "ceticismo sobre o mundo exterior", já que formula uma dicotomia entre o mundo interior, a subjetividade, a realidade do ser pensante e o mundo natural, cuja existência permanece em dúvida. No desenvolvimento das *Meditações* Descartes procurará superar esta dúvida e encontrar um caminho para o mundo exterior.

1. A Meditação que fiz ontem encheu-me o espírito de tantas dúvidas, que doravante não está mais em meu alcance esquecê-las. E, no entanto, não vejo de que maneira poderia resolvê-las; e, como se de súbito tivesse caído em águas muito profundas, estou de tal modo surpreso que não posso nem firmar meus pés no fundo, nem nadar para me manter à tona. Esforçar-me-ei, não obstante, e seguirei novamente a mesma via que trilhei ontem, afastando-me de tudo em que poderia imaginar a menor dúvida, da mesma maneira como se eu soubesse que isto fosse absolutamente falso; e continuarei sempre nesse caminho até que tenha encontrado algo de certo, ou, pelo menos, se outra coisa não me for possível, até que tenha aprendido certamente que não há nada no mundo de certo.

2. Arquimedes, para tirar o globo terrestre de seu lugar e transportá-lo para outra parte, não pedia nada mais exceto um ponto que fosse fixo e seguro. Assim, terei o direito de conceber altas esperanças, se for bastante feliz para encontrar somente uma coisa que seja certa e indubitável.

3. Suponho, portanto, que todas as coisas que vejo são falsas; persuado-me de que nada jamais existiu de tudo quanto minha memória repleta de mentiras me representa; penso não possuir nenhum sentido; creio que o corpo, a figura, a extensão, o movimento e o lugar são apenas ficções de meu espírito. O que poderá, pois, ser considerado verdadeiro? Talvez nenhuma outra coisa a não ser que nada há no mundo de certo.

4. Mas que sei eu, se não há nenhuma outra coisa diferente das que acabo de julgar incertas, da qual não se possa ter a menor dúvida? Não haverá algum Deus, ou alguma outra potência, que me ponha no espírito tais pensamentos? Isso não é necessário; pois talvez seja eu capaz de produzi-los por mim mesmo. Eu então, pelo menos, não serei alguma coisa? Mas já neguei que tivesse qualquer sentido ou qualquer corpo. Hesito no entanto, pois que se segue daí? Serei de tal modo dependente do corpo e dos sentidos que não possa existir sem eles? Mas eu me persuadi de que nada existia no mundo, que não havia nenhum céu, nenhuma terra, espíritos alguns, nem corpos alguns; não me persuadi também, portanto, de que eu não existia? Certamente não, eu existia sem dúvida, se é que eu me persuadi, ou, apenas, pensei alguma coisa. Mas há algum, não sei qual, enganador mui poderoso e mui ardiloso que emprega toda a sua indústria em enganar-me sempre. Não há pois dúvida alguma de que sou, se ele me engana; e, por mais que me engane, não poderá jamais fazer com que eu nada seja, enquanto eu pensar ser alguma coisa. De sorte que, após ter pensado bastante nisto e de ter examinado cuidadosamente todas as coisas, cumpre enfim concluir e ter por constante que esta proposição, *eu sou, eu existo*, é necessariamente verdadeira, todas as vezes que a enuncio ou que a concebo em meu espírito.

DISCURSO DO MÉTODO
A formação do filósofo

> Embora consistindo de uma introdução a três tratados científicos, a *Dióptrica*, os *Meteoros* e a *Geometria*, o texto do *Discurso do método* tem, inicialmente, um caráter fortemente autobiográfico. Descartes analisa sua formação, questionando a educação tradicional que recebera e defendendo a necessidade de rompermos com o saber adquirido, que naquele momento incluía ainda as teorias escolásticas e a ciência antiga, para pensarmos por nós mesmos. Argumenta em favor da valorização da experiência, mostrando, no entanto, ser necessário que esta seja sempre acompanhada da reflexão, ou seja, de um exame daquilo que a experiência nos revela, avaliando seu sentido e sua validade.

O bom senso é a coisa mais comum do mundo: pois cada um pensa ser tão bem provido disso que mesmo os mais difíceis de contentar em tudo o mais não costumam absolutamente desejar mais bom senso do que têm. No que não é verossímil que todos se enganem; antes, isso demonstra que o poder de bem julgar e distinguir o verdadeiro do falso, que é propriamente o que se chama bom senso ou razão, é naturalmente igual em todos os homens; e, assim, que a diversidade de opiniões não decorre de serem alguns mais racionais que outros, mas unicamente do fato de conduzirmos nossos pensamentos por diversas vias e não considerarmos as mesmas coisas. Porque não basta ter um bom espírito, o principal é aplicá-lo bem. As maiores almas são capazes dos maiores vícios, assim como das maiores virtudes; e aqueles que só andam bem lentamente podem avançar muito mais, se seguirem sempre o caminho certo, que aqueles que correm e dele se desviam.

Quanto a mim, nunca supus que meu espírito fosse em nada mais perfeito que o comum; muitas vezes até desejei ter o pensamento tão ágil, a imaginação tão clara e nítida ou a memória tão vasta e atual quanto alguns outros. E não sei de nenhuma qualidade além dessas que sirva à perfeição do espírito: pois quanto à razão ou senso, uma vez que é a única coisa que nos torna homens e nos distingue dos animais, quero crer que exista inteiramente em cada um e seguir nisso a opinião comum dos filósofos, que dizem que só há mais ou menos entre *acidentes* e de modo algum entre as *formas* ou naturezas dos *indivíduos* de uma mesma *espécie*.

Mas não temo dizer que creio ter tido muita felicidade de me haver encontrado desde a juventude em certos caminhos que me conduziram a considerações e máximas com as quais criei um método através do qual parece que tenho o meio de aumentar gradualmente meu conhecimento e elevá-lo pouco a pouco ao mais alto nível que a mediocridade do meu espírito e a curta duração da minha vida poderão lhe permitir atingir. [...]

Nutriram-me nas letras desde a infância e, por me haverem persuadido de que por meio delas se poderia adquirir um conhecimento claro e seguro de tudo o que é útil à vida, tinha um desejo extremo de aprendê-las. Mas logo que acabei todo esse curso de estudos, ao fim do qual é costume ser recebido na categoria dos doutos, mudei inteiramente de opinião. Pois me achava tão embaraçado com dúvidas e erros que me pareceu não ter feito mais, ao tratar de me instruir, que descobrir cada vez mais minha ignorância. E no entanto estivera numa das mais famosas escolas da Europa, onde pensava que deviam existir sábios, se é que existiam em algum lugar da terra. Havia aprendido ali tudo o que os outros aprendiam e, não me contentando com as ciências que nos ensinavam, tinha mesmo percorrido todos os livros que me puderam cair nas mãos sobre aquelas consideradas as mais curiosas e raras. Ademais, sabia o juízo que os outros faziam de mim e não achava absolutamente que me considerassem inferior a meus condiscípulos, embora já houvesse entre eles alguns destinados a ocupar o lugar de nossos mestres. E afinal nosso século me parecia tão florescente e tão fértil de bons espíritos quanto nenhum dos precedentes... O que me fez tomar a liberdade de julgar por mim todos os outros e pensar que não havia doutrina no mundo que fosse tal como me levaram anteriormente a desejar. [...]

Nada direi da filosofia exceto que, vendo que foi cultivada pelos mais excelentes espíritos desde muitos séculos e que mesmo assim ainda não existe aí coisa alguma que não se questione e que não seja por conseguinte duvidosa eu não tinha de modo algum a presunção de esperar encontrar aí mais do que os outros; e que, considerando como pode haver em filosofia opiniões diversas sobre um mesmo assunto sustentadas por pessoas doutas, sem que possa nunca existir a respeito mais de uma que seja verdadeira, reputava quase como falso tudo o que não passava de verossímil.

Depois, quanto às outras ciências, na medida em que tomam seus princípios da filosofia, julgava que nada se podia construir de sólido sobre fundamentos tão pouco firmes. E nem a honra nem o ganho que prometem eram suficientes para me instigar a aprendê-las, pois de modo algum me sentia, graças a Deus, em situação que me obrigasse a fazer da ciência um ofício para o alívio da minha sorte; e ainda que não fizesse profissão de desprezar cinicamente a glória, dava no entanto muito pouca importância àquela que não poderia de modo algum pensar em alcançar senão indevidamente. E, enfim, pensava já conhecer bastante o que valem as más doutrinas para não estar mais sujeito a me enganar nem com as promessas de um alquimista nem com as previsões de um astrólogo ou as imposturas de um mágico, com os artifícios e bazófia de nenhum desses que fazem profissão de saber mais do que sabem.

Foi por isso que, tão logo a idade me permitiu escapar à tutela dos meus preceptores, abandonei inteiramente o estudo das letras. E decidido a não buscar mais outra ciência senão a que poderia encontrar em mim mesmo ou então no grande livro do mundo, aproveitei o resto da minha juventude para viajar, ver cortes e exércitos, frequentar pessoas de diversos humores e condições, recolher diversas experiências, testar a mim mesmo nos desafios que o destino me propunha e fazer sempre reflexão tal sobre as coisas que se apresentavam de modo a poder tirar delas algum proveito. Pois me parecia que poderia encontrar muito mais verdade nos raciocínios que cada um faz sobre os assuntos que lhe importam e cujo resultado deve lhe trazer logo punição se julgou mal do que naqueles que faz um homem de letras no seu gabinete; em especulações que não produzem qualquer efeito e não têm outra consequência senão, talvez, que delas tirará tanto mais vaidade quanto mais afastadas do senso comum, por ter tido que empregar tanto mais espírito e artifício para torná-las verossímeis. E tive sempre um enorme desejo de saber distinguir o verdadeiro do falso, para ter clareza nas minhas ações e avançar com segurança nesta vida.

DISCURSO DO MÉTODO
As regras do método

> O texto em que Descartes formula suas regras do método científico, que constituem o centro de sua concepção de ciência, frequentemente causa espanto em quem o lê pela primeira vez, devido ao pequeno número de regras e à sua simplicidade; é este, no entanto, precisamente o objetivo de Descartes. No lugar das regras complexas e intrincadas do método dedutivo aristotélico, da teoria do silogismo — tão discutida na escolástica medieval e motivo de tantas controvérsias —, Descartes prefere as quatro regras simples que formula aqui, mas exige que sejam efetivamente seguidas à risca. Seu argumento é que o método aristotélico, devido a seu formalismo, não evitou que as teorias falsas da Antiguidade, como a concepção geocêntrica de universo, fossem apresentadas como válidas, através da formulação lógica que receberam.
>
> As quatro regras do método consistem na *regra da evidência*, que deve garantir a validade de nossos pontos de partida no processo de investigação científica; a *regra da análise*, que indica que um problema a ser resolvido deve ser decomposto em suas partes constituintes mais simples; a *regra da síntese*, que sustenta que uma vez realizada a análise devemos ser capazes de reconstituir aquilo que dividimos, revelando assim um real conhecimento do objeto investigado; e a *regra da verificação*, que alerta para a necessidade de termos certeza de que efetivamente realizamos todos os procedimentos devidos.

❝ Estava então na Alemanha, para onde me haviam chamado as guerras que ainda ali não terminaram, e, quando voltava da coroação do Imperador para o exército, o começo do inverno me deteve num lugar onde, não achando conversa que me divertisse e além disso não tendo, felizmente, cuidados ou paixões que me perturbassem, ficava o dia inteiro trancado sozinho num quarto com estufa, onde tinha todo o tempo para me entreter com meus pensamentos. Entre os quais um dos primeiros que me ocorreu foi considerar que muitas vezes não há tanta perfeição nas obras compostas de várias peças e feitas pelas mãos de diversos mestres quanto naquelas em que apenas um trabalhou. Assim, vemos que as construções iniciadas e concluídas por um único arquiteto costumam ser mais belas e bem ordenadas que aquelas que muitos trataram de reformar aproveitando velhas paredes construídas para outros fins. [...]

Mas, como um homem que caminha sozinho e nas trevas, decidi avançar tão lentamente e ser tão circunspecto em tudo que, se progredia muito pouco, evitava pelo menos cair. Não quis sequer começar rejeitando completamente qualquer das opiniões que se infiltraram outrora em minha crença sem terem sido aí introduzidas pela razão antes de empregar bastante tempo no projeto da obra que empreendia e na busca do verdadeiro método para chegar ao conhecimento de todas as coisas de que o meu espírito fosse capaz.

[...] E como a multiplicidade de leis fornece muitas vezes desculpas aos vícios, de modo que um Estado é bem mais regrado se, tendo bem poucas, elas são estritamente observadas, assim eu julguei que, em vez do grande número de preceitos de que se compõe a lógica, me bastariam os quatro seguintes, contanto que tomasse a firme e constante resolução de não deixar de observá-los uma vez sequer.

O primeiro era não tomar jamais coisa alguma por verdadeira a não ser que a conhecesse evidentemente como tal: quer dizer, evitar cautelosamente a precipitação e a prevenção; e só incluir em meus juízos o que se me apresentasse ao espírito de modo tão claro e nítido que não tivesse como colocá-lo em dúvida.

O segundo, dividir cada dificuldade que examinasse em tantas parcelas quantas possíveis e necessárias para melhor resolvê-las.

O terceiro, conduzir meus pensamentos de forma ordenada, começando pelos objetos mais simples e mais fáceis de conhecer, para subir pouco a pouco, como por degraus, até o conhecimento dos mais complexos; e supondo mesmo uma ordem entre aqueles que de modo algum precedem naturalmente uns aos outros.

E o último, fazer sempre levantamentos tão completos e inspeções tão gerais que tivesse a certeza de nada omitir.

Essas longas cadeias de raciocínios, bem simples e fáceis, de que os geômetras costumam se servir para chegar às mais difíceis demonstrações, deram-me a oportunidade de imaginar que todas as coisas que podem cair sob o conhecimento dos homens seguem-se umas às outras da mesma maneira e que, contanto apenas que se evite tomar por verdadeira alguma que não o seja e que se respeite sempre a ordem exigida para deduzir umas das outras, não pode haver nenhuma tão distante que por fim não se alcance nem tão oculta que não se descubra.

DISCURSO DO MÉTODO
A moral provisória

A obra filosófica de Descartes é quase toda ela dedicada à discussão da questão do conhecimento e da possibilidade de fundamentação da ciência. Os demais problemas dependeriam para o seu tratamento de uma solução dessas questões iniciais, que garantiriam assim a validade do método e tornariam

> essas teorias bem fundamentadas. A questão da moral — a necessidade de termos regras e parâmetros para nossa decisão correta sobre o que fazer, sobre o certo e o errado — não pode, no entanto, permanecer em suspenso até que o problema do conhecimento seja resolvido. Descartes apresenta então regras de uma moral provisória, que devemos adotar até que uma verdadeira ciência da moral, baseada na investigação da natureza humana, seja desenvolvida.

❝ E enfim, como não basta, antes de começar a reconstruir a casa onde se mora, fazê-la demolir ou se ocupar a própria pessoa da arquitetura, além de ter cuidadosamente traçado o projeto, mas é preciso também arranjar outra onde comodamente se alojar enquanto durarem os trabalhos, assim eu, para não ficar em absoluto hesitante nas minhas ações enquanto a razão me obrigasse a sê-lo nos meus juízos e para não deixar de viver desde então do modo mais feliz possível, criei para mim uma moral provisória, consistindo somente de três ou quatro máximas, que gostaria de vos expor.

A primeira era obedecer às leis e costumes do meu país, respeitando sempre a religião na qual Deus me deu a graça de ser educado desde a infância e me conduzindo em todas as outras coisas segundo as opiniões mais moderadas e mais afastadas do excesso que fossem comumente aceitas na prática pelos mais sensatos dentre aqueles com quem teria que viver. Pois, começando desde então por não considerar minhas próprias opiniões como coisa alguma, pois queria recolocá-las todas em questão, estava seguro de não poder seguir outras melhores que as dos mais sensatos. E ainda que haja talvez gente tão sensata entre os persas ou chineses como entre nós, parecia-me que o mais útil era me comportar segundo aqueles com os quais teria que viver; e que, para saber quais eram verdadeiramente suas opiniões, eu deveria antes prestar atenção no que praticavam do que no que diziam; não apenas porque, com a corrupção dos nossos costumes, haja pouca gente disposta a dizer tudo aquilo em que acredita, mas também porque vários inclusive o ignoram; pois como a ação do pensamento pela qual se acredita numa coisa é diferente daquela pela qual se sabe que se acredita nessa coisa, uma existe com frequência sem a outra. E entre várias opiniões igualmente aceitas eu só escolhia as mais moderadas; tanto porque são sempre as mais cômodas na prática e possivelmente as melhores, costumando todo excesso ser ruim, como também para me desviar menos do verdadeiro caminho, caso falhasse, do que se, escolhendo um dos extremos, devesse ter seguido o outro. E, particularmente, colocava entre os excessos todas as promessas pelas quais se cerceia a liberdade de alguma coisa. Não que desaprovasse as leis que para remediar a inconstância dos espíritos fracos permitem, quando se tem um bom propósito ou mesmo, para garantia do comércio, um propósito apenas indiferente, que se façam votos ou contratos que obrigam a perseverar nele; mas por não ver no mundo coisa alguma que permanecesse sempre no mesmo estado e, no meu caso particular, prometer aperfeiçoar cada vez mais meus juízos e não em absoluto piorá-los, pensaria estar cometendo uma grande falta contra o bom senso se, pelo fato de antes aprovar alguma coisa, fosse obrigado a tomá-la como boa mesmo depois que talvez tivesse deixado de sê-lo ou quando não mais a considerasse assim.

Minha segunda máxima era a de ser o mais firme e o mais decidido possível em minhas ações e de seguir as opiniões as mais duvidosas, uma vez me tivesse resolvido por elas, com a mesma constância que o faria se fossem muito seguras, imitando nisso os viajantes que, vendo-se perdidos numa floresta, não devem ficar dando voltas, a errar de um lado para o outro, e muito menos parar num lugar, mas caminhar sempre o mais reto possível numa mesma direção e não mudá-la de modo algum por motivos frágeis, mesmo que talvez de início apenas o acaso os tenha levado a escolhê-la: porque assim, se não vão exatamente aonde desejam, chegarão pelo menos afinal a algum lugar onde provavelmente estarão melhor que no meio de uma floresta. De forma que, não aceitando comumente as ações da vida nenhuma demora, é verdade bem certa que, se não estiver em nosso poder discernir as opiniões mais verdadeiras, devemos seguir as mais prováveis; e mesmo, ainda que não notemos mais probabilidade numas do que noutras, devemos contudo nos decidir por algumas e considerá-las depois não mais como duvidosas, uma vez que dizem respeito à prática, mas como muito verdadeiras e certas, pois assim se considera a razão que nos fez optar por elas. E isso foi desde então capaz de me livrar de todos os remorsos e arrependimentos que costumam agitar as consciências desses espíritos fracos e vacilantes que se deixam levar com inconstância a praticar, como boas, coisas que julgam mais tarde serem más.

Minha terceira máxima era tratar sempre de vencer a mim mesmo e não ao destino, mudando antes meus desejos que a ordem do mundo, e no geral me acostumar a crer que nada está inteiramente em nosso poder além dos nossos pensamentos; de modo que depois de ter dado o melhor de nós em coisas que nos são exteriores, tudo o que deixamos de conseguir é, no que nos diz respeito, absolutamente impossível. E isso já me parecia suficiente para impedir que desejasse no futuro nada que não conseguisse e para ficar dessa forma contente. Pois não se aplicando naturalmente nossa vontade a desejar senão as coisas que nosso entendimento lhe apresenta de alguma forma como possíveis, é certo que, se consideramos todos os bens exteriores a nós como igualmente distantes do nosso poder, não lamentaremos a falta daqueles que parecem devidos ao nosso nascimento, quando formos privados deles sem culpa nossa, mais do que lamentamos não possuir os reinos da China ou do México; e fazendo da necessidade virtude, como se diz, não desejaremos ter saúde estando doentes ou ser livres estando presos, mais do que desejamos atualmente ter corpos de uma matéria tão pouco corruptível quanto o diamante ou asas para voar como os pássaros. Mas admito que é necessário um longo exercício e uma meditação persistente para se acostumar a encarar todas as coisas sob esse ângulo; e creio que era principalmente nisso que consistia o segredo desses filósofos que puderam outrora abstrair-se do império da fortuna e, apesar das dores e da pobreza, disputar felicidade aos seus deuses. Pois, ocupando-se incessantemente em considerar os limites que lhes eram prescritos pela natureza, persuadiam-se de modo tão perfeito que nada estava em seu poder além dos próprios pensamentos que só isso era suficiente para impedi-los de ter qualquer afeição por outras coisas; e dispunham deles de forma tão absoluta que tinham nisso alguma razão de se considerar mais ricos, mais poderosos, mais livres e mais felizes que quaisquer dos outros homens que, não tendo essa filosofia, por mais favorecidos que sejam pela natureza e a fortuna, jamais dispõem assim de tudo o que querem.

Por fim, para conclusão dessa moral, decidi fazer um exame das diversas ocupações que têm os homens nesta vida e tentar escolher a melhor; e sem pretender dizer nada das ocupações dos outros, pensei que não podia fazer melhor que continuar naquela mesma em que estava, isto é, empregar toda a minha vida a cultivar a razão e avançar o máximo que pudesse no conhecimento da verdade, seguindo o método que me havia prescrito.

QUESTÕES E TEMAS PARA DISCUSSÃO

Das coisas que se podem colocar em dúvida
1. Qual o objetivo de Descartes ao formular os argumentos céticos?
2. Como se pode caracterizar a posição cética que Descartes adota?
3. Qual o papel do Deus enganador na argumentação de Descartes?

O argumento do cogito
4. O que significa "ceticismo sobre o mundo exterior"?
5. Em que sentido o argumento do cogito consiste em uma refutação do ceticismo?
6. Como se pode entender o subjetivismo de Descartes?

A formação do filósofo
7. Por que Descartes defende a ruptura com a tradição?
8. Qual a alternativa ao saber adquirido e à educação tradicional que Descartes defende?

As regras do método
9. Como Descartes justifica a necessidade de novas regras do método?
10. Qual o papel das regras do método de Descartes?
11. Formule as regras do método com suas próprias palavras, caracterizando seu objetivo.

A moral provisória
12. Qual o objetivo das regras da moral provisória, segundo Descartes?
13. Formule com suas próprias palavras as regras da moral provisória.

LEITURAS SUGERIDAS

Descartes
Obra escolhida, Rio de Janeiro, Bertrand, 3.ed., 1995.
Discurso do método, São Paulo, Martins Fontes, 1999.
As paixões da alma, São Paulo, Martins Fontes, 1998.
Descartes, col. Os Pensadores, São Paulo, Nova Cultural, 2000.

Sobre Descartes:
Dicionário Descartes, de John Cottingham, Rio de Janeiro, Zahar, 1996.
Descartes em 90 minutos, de Paul Strathern, Rio de Janeiro, Zahar, 1997.
Descartes, de Pierre Guenancia, Rio de Janeiro, Zahar, 1991.
Descartes e a metafísica da modernidade, de Franklin Leopoldo e Silva, São Paulo, Moderna, 1993.

SPINOZA

Baruch Spinoza nasceu em Amsterdã em 1632 de família judaica de origem portuguesa que havia imigrado para a Holanda em busca da tolerância religiosa. Mesmo tendo recebido uma educação dentro da tradição judaica, em 1656 Spinoza foi excomungado pela sinagoga de Amsterdã devido a seu espírito crítico. Desenvolveu então seu interesse por estudos de filosofia e religião, mantendo contato com várias seitas protestantes então existentes na Holanda, ao mesmo tempo em que trabalhava como polidor de lentes. Escreveu então seu comentário aos *Princípios da filosofia* de Descartes, única obra que publicou em vida com seu nome. Sua reputação intelectual cresceu ao relacionar-se com cientistas importantes como o matemático Christian Huygens e Henry Oldenburg, secretário da Royal Society de Londres. Defensor da liberdade de pensamento, publicou anonimamente em 1670 o *Tratado teológico-político*, condenado pelas autoridades holandesas; e em 1673, ao lhe ser oferecida a cátedra de filosofia na Universidade de Heidelberg, na Alemanha, recusou-a em nome da preservação de sua liberdade de pensamento. Residindo então em Haia, dedicou-se à redação da *Ética*, vindo a falecer em 1677.

A *Ética, demonstrada segundo o método geométrico*, escrita originalmente em latim, principal obra de Spinoza e publicada apenas após a sua morte, revela sua concepção de sistema filosófico, bem como seu emprego do método geométrico para a demonstração das verdades que buscava, inspirado na geometria de Euclides e na valorização da matemática pelo saber da época, inclusive por Descartes. As cinco partes dessa obra tratam de Deus, da mente, das emoções, da servidão humana, dos poderes do intelecto e da liberdade. Cada uma dessas partes inicia-se com uma série de definições e axiomas, passando em seguida a apresentar uma demonstração formal de proposições derivadas dessas definições e axiomas e extraindo as consequências lógicas delas. Com isso, Spinoza pretende estabelecer com rigor e clareza as teses fundamentais de sua filosofia.

As passagens aqui selecionadas apresentam alguns dos temas centrais da *Ética*, que não consiste apenas em uma análise de questões éticas, mas em um tratado de metafísica, uma discussão sobre a natureza humana e sobre o conhecimento que temos da realidade.

ÉTICA
De Deus

> No texto aqui selecionado, temos a formulação do monismo de Spinoza, que afirma a existência de uma substância única, a substância divina infinita, que se identifica com a natureza; daí a famosa fórmula *Deus sive Natura*, "Deus ou a Natureza", motivo pelo qual Spinoza é frequentemente considerado um panteísta. A concepção spinozista de natureza é determinista, a realidade é vista como necessária, sendo que Deus é a causa primeira, o que dá unidade à realidade natural. O Deus de Spinoza não é, portanto, um Deus pessoal, religioso, mas um princípio metafísico, o que foi uma das razão de sua condenação pelas autoridades religiosas da época.

DEFINIÇÕES

I. Entendo por causa de si aquilo cuja essência envolve a existência; em outros termos, aquilo cuja natureza só pode ser concebida como existente.

II. Essa coisa é dita finita em seu gênero, e pode ser limitada por uma outra de mesma natureza. Por exemplo, um corpo é dito finito porque concebemos sempre um outro maior que ele. Do mesmo modo, um pensamento é limitado por um outro pensamento. Mas um corpo não é limitado por um pensamento, nem um pensamento por um corpo.

III. Entendo por substância o que é em si e concebido por si: ou seja, aquilo cujo conceito não precisa do conceito de uma outra coisa a partir do qual deva ser formado.

IV. Entendo por atributo o que o entendimento percebe de uma substância como constituindo sua essência.

V. Entendo por modo as afecções de uma substância, ou seja, aquilo que é em uma outra coisa por meio da qual é assim concebido.

VI. Entendo por Deus um ser absolutamente infinito, isto é, uma substância constituída por uma infinidade de atributos, cada um dos quais exprimindo uma essência eterna e infinita.

EXPLICAÇÃO

Digo absolutamente infinito, e não infinito em seu gênero; pois daquilo que é infinito apenas em seu gênero, podemos negar uma infinidade de atributos; quanto ao que, ao contrário, é absolutamente infinito, tudo o que exprima uma essência e não envolva nenhuma negação pertence à sua essência.

VII. Essa coisa dita livre é o que existe somente pela necessidade de sua natureza e é determinada a agir apenas por si: essa coisa dita necessária, ou antes coagida, é determinada por uma outra a existir e a produzir algum efeito sob uma condição segura e determinada.

VIII. Entendo por eternidade a própria existência enquanto concebida como derivando apenas e necessariamente de uma coisa eterna.

EXPLICAÇÃO

Uma tal existência, com efeito, é concebida como uma verdade eterna, assim como a essência da coisa, e por isso mesmo não pode ser explicada pela duração ou pelo tempo, mesmo que a duração seja concebida como não tendo começo nem fim.

PROPOSIÇÃO XXIX

Nada de contingente é dado na natureza, mas tudo nela é determinado pela necessidade de a natureza divina existir e produzir algum efeito de uma certa maneira.

DEMONSTRAÇÃO

Tudo o que é é em Deus e Deus não pode ser considerado uma coisa contingente, pois ele existe necessariamente e não de uma maneira contingente. A respeito dos modos da natureza de Deus, estes derivaram necessariamente dessa natureza também, não de uma maneira contingente, e isso tanto se considerarmos a natureza divina absolutamente quanto se a considerarmos como determinada a agir de uma certa maneira. Além disso, Deus é causa desses modos não apenas na medida em que eles existem simplesmente, mas também na medida em que os consideramos como determinados a produzir algum efeito. Pois se não são determinados por Deus, é impossível mas não contingente que eles se determinem a si próprios (*mesma Proposição*); e se, ao contrário, são determinados por Deus, é impossível mas não contingente que eles próprios se tornem indeterminados. Portanto, tudo é determinado pela necessidade da natureza divina não apenas a existir, mas também a existir e a produzir algum efeito de uma certa maneira, e nada é contingente. CQD.

Escólio

Antes de prosseguir quero explicar aqui o que devemos entender por Natureza Naturante e Natureza Naturada, ou melhor, observá-lo. Pois já pelo que precede, fica estabelecido, creio, que devemos entender por Natureza Naturante o que é em si e é concebido por si, em outras palavras, esses atributos da substância que exprimem uma essência eterna e infinita, ou ainda Deus na medida em que é considerado como causa livre. Por Natureza Naturada entendo tudo o que deriva da necessidade da natureza de Deus, em outras palavras, daquela de cada um de seus atributos, ou ainda todos os modos dos atributos de Deus, na medida em que os consideramos como coisas que são em Deus e não podem sem Deus nem ser nem serem concebidas.

ÉTICA
Da servidão humana

> Na parte IV da *Ética*, Spinoza introduz seus conceitos centrais da ética com base nas teses anteriores sobre o ser, a causalidade e a natureza humana intelectual e emocional. A servidão humana consiste na submissão a nossas paixões, ao passo que a liberdade humana, examinada na parte V, consiste na libertação por meio do intelecto. Sua concepção é assim fortemente racionalista, e o exercício da liberdade e da conduta ética pressupõe o entendimento da condição humana.

Proposição XXVI

Todo esforço que tenha a Razão como princípio não tem outro objeto senão o conhecimento; e a Alma, na medida em que usa a Razão, não julga que nenhuma coisa lhe seja útil, mas apenas aquilo que leva ao conhecimento.

Demonstração

O esforço para se conservar nada é senão a essência da coisa mesma, que, na medida em que existe tal como é, é concebida como tendo força para perseverar na existência e executar as ações que derivam necessariamente de sua natureza tal como é dada. Mas a essência da Razão nada mais é que nossa

Alma na medida em que conhece clara e distintamente. Logo, todo esforço que tenha a Razão como princípio não tem outro objeto senão o conhecimento. Além disso, como esse esforço pelo qual a Alma, enquanto racional, se esforça por conservar seu ser nada é senão conhecimento, esse esforço para conhecer é portanto a primeira e única origem da virtude, e nós nos esforçamos por conhecer as coisas com vistas a um fim qualquer; mas, ao contrário, a Alma, enquanto racional, não poderá conceber coisa alguma que seja boa para ela, senão o que leva ao conhecimento. CQD.

PROPOSIÇÃO XXVII

Não existe coisa alguma que saibamos com certeza ser boa ou má senão o que leva realmente ao conhecimento ou pode impedir que conheçamos.

DEMONSTRAÇÃO

A Alma, enquanto racional, não pretende outra coisa senão o conhecimento e tampouco julga que coisa alguma lhe seja útil senão o que leva ao conhecimento. Mas a Alma não tem certeza a respeito das coisas senão na medida em que tem ideias adequadas, ou na medida em que raciocina. Logo, não existe coisa alguma que saibamos com certeza ser boa para nós senão o que leva realmente ao conhecimento; e coisa alguma que saibamos, ao contrário, ser má, senão o que impede que conheçamos. CQD.

PROPOSIÇÃO XXVIII

O bem supremo da Alma é o conhecimento de Deus e a suprema virtude da Alma é conhecer Deus.

DEMONSTRAÇÃO

O objeto supremo que a Alma pode conhecer é Deus, isto é, um Ser absolutamente infinito e sem o qual nada pode ser nem ser concebido; por conseguinte, a coisa supremamente útil à Alma ou seu bem supremo é o conhecimento de Deus. Além disso, a Alma age apenas na medida em que conhece, e na mesma medida apenas pode-se dizer absolutamente que ela faz alguma coisa por virtude. A virtude absoluta da Alma é portanto conhecer, mas o objeto supremo que a Alma pode conhecer é Deus; logo, a suprema virtude da Alma é conceber claramente ou conhecer Deus. CQD.

PROPOSIÇÃO XXIX

Uma coisa singular qualquer, cuja natureza é inteiramente diferente da nossa, não pode favorecer nem reduzir nossa potência de agir, e, falando em termos absolutos, coisa alguma pode ser boa ou má para nós se não tem algo de comum conosco.

Demonstração

A potência pela qual uma coisa singular qualquer, e consequentemente o homem, existe e produz algum efeito não é determinada senão por uma outra coisa singular, cuja natureza deve ser conhecida por meio do mesmo atributo que permite conceber a natureza humana. Nossa potência de agir, portanto, de qualquer maneira que a concebamos, pode ser determinada, e consequentemente favorecida ou reduzida, pela potência de uma outra coisa singular tendo conosco algo de comum, e não pela potência de uma coisa cuja natureza é inteiramente diferente da nossa; e já que chamamos bom ou mau o que é causa de Alegria ou de Tristeza, isto é, o que cresce ou diminui, favorece ou reduz nossa potência de agir, então uma coisa cuja natureza é inteiramente diferente da nossa não pode ser para nós nem boa nem má. CQD.

Proposição XXX

Nenhuma coisa pode ser má pelo que tem de comum com nossa natureza, mas é má para nós na medida em que nos é contrária.

Demonstração

Chamamos mau o que é causa de Tristeza, isto é, o que diminui ou reduz nossa potência de agir. Se portanto uma coisa, pelo que tem de comum conosco, fosse má para nós, essa coisa poderia diminuir ou reduzir o que tem de comum conosco, o que é absurdo. Coisa alguma portanto pode ser má para nós pelo que tem de comum conosco, mas, ao contrário, na medida em que é má, isto é, na medida em que pode diminuir ou reduzir nossa potência de agir, ela nos é contrária. CQD.

Proposição XXXI

Na medida em que uma coisa está de acordo com nossa natureza, ela é necessariamente boa.

Demonstração

Na medida em que uma coisa está de acordo com nossa natureza, ela não pode ser má. Ela será portanto necessariamente ou boa ou indiferente. Nesse último caso, ou seja, que não é boa nem má, nada portanto derivará de sua natureza que sirva à conservação de nossa natureza, isto é, à conservação da natureza da coisa mesma; mas isso é absurdo; logo, na medida em que esteja de acordo com nossa natureza, será portanto necessariamente boa. CQD.

COROLÁRIO

Segue daí que quanto mais uma coisa está de acordo com nossa natureza, mais ela nos é útil ou melhor é; e, inversamente, uma coisa nos é mais útil na medida em que mais está de acordo com nossa natureza. Pois, na medida em que está de acordo com nossa natureza, ela será necessariamente diferente dela ou lhe será contrária. Se for diferente, então não poderá ser boa nem má; se contrária, será portanto contrária à natureza que está de acordo com a nossa, isto é, contrária ao bem, ou má. Logo, nada pode ser bom senão na medida em que esteja de acordo com nossa natureza, e, por conseguinte, quanto mais uma coisa esteja de acordo com nossa natureza, mais útil é, e inversamente. CQD. ”

QUESTÕES E TEMAS PARA DISCUSSÃO

De Deus
1. Como se pode entender a concepção spinozista de Deus?
2. Em que sentido a filosofia de Spinoza pode ser considerada monista?
3. Qual a importância do conceito de causalidade no sistema de Spinoza?

Da servidão humana
4. O que significa, para Spinoza, "servidão humana"?
5. Como Spinoza define o bem?
6. Qual a oposição que se pode fazer entre o bem e o mal, segundo a *Ética* de Spinoza?

LEITURAS SUGERIDAS

Spinoza
Spinoza, col. Os Pensadores, São Paulo, Nova Cultural, 1997.

Sobre Spinoza:
Espinosa, uma filosofia da liberdade, de Marilena Chauí, São Paulo, Moderna, 1995.
Spinoza em 90 minutos, de Paul Strathern, Rio de Janeiro, Zahar, 1999.

ROUSSEAU

Jean-Jacques Rousseau (1712-78) nasceu em Genebra e foi um dos pensadores mais influentes do século XVIII, não só na filosofia, mas no pensamento político, nas artes e na literatura. Rousseau foi um dos grandes estilistas da língua francesa, tendo escrito romances (*A nova Heloísa*, 1761), uma autobiografia filosófica (*Confissões*, 1770, um dos clássicos da literatura francesa), uma obra sobre educação (*Emílio*, 1762), além de peças teatrais e musicais. Sua obra filosófica, cuja temática central é a natureza humana e sua relação com a vida social, inclui dois textos marcantes em relação à teoria política moderna, inspiradores de teóricos do liberalismo e de movimentos revolucionários do século XVIII, o *Discurso sobre a origem e os fundamentos da desigualdade entre os homens* (1755) e *O contrato social* (1762).

Pensador polêmico, envolveu-se em discussões com Voltaire e com Hume. Sua filosofia enfatiza a experiência pessoal, os sentimentos e a individualidade, bem como a liberdade e a bondade naturais ao ser humano, donde a famosa frase "O homem nasce livre, e em toda parte se encontra acorrentado".

O texto do *Discurso sobre a origem e os fundamentos da desigualdade*, publicado em 1755, é uma resposta à questão formulada em 1753 pela Academia de Dijon, "Qual a origem da desigualdade entre os homens; ela é resultado da lei natural?". Tais concursos eram comuns no século XVIII, sobretudo na França e na Alemanha, e, embora o texto de Rousseau não tenha obtido o primeiro lugar, tornou-se um clássico do pensamento político.

DISCURSO SOBRE A DESIGUALDADE
A origem da sociedade

> Na passagem aqui selecionada, Rousseau analisa as origens do mal social através de uma crítica da organização da sociedade e do abuso da técnica e dos artifícios que afastam o ser humano da vida natural. Rousseau defende uma natureza humana originária, caracterizada pela liberdade, pelo instinto de sobrevivência e pelo sentimento de piedade. A visão do "bom selvagem" como encarnando essas virtudes naturais é utilizada por Rousseau como um instrumento de crítica ao homem civilizado.

❝ O primeiro que, tendo cercado um terreno, ousou dizer *Isto é meu* e encontrou pessoas suficientemente simplórias para lhe dar crédito foi o verdadeiro fundador da sociedade civil. Quantos crimes, guerras, assassinatos, quantas misérias e horrores não teria poupado ao gênero humano aquele que, arrancando as estacas ou tampando o fosso, tivesse gritado a seus semelhantes: "Evitai escutar esse impostor; estareis perdidos se esquecerdes que os frutos são de todos e que a terra não é de ninguém!" Mas tudo indica que as coisas haviam chegado ao ponto de não poderem durar mais como estavam: pois essa ideia de propriedade, derivada de muitas ideias anteriores que só foram capazes de nascer sucessivamente, não se formou de uma tacada só no espírito humano: foi preciso fazer muitos progressos, adquirir muito engenho e esclarecimento, transmiti-los e incrementá-los de época para época, antes de chegar a esse último termo do estado de natureza. Remontemos então no tempo, e tratemos de reunir sob um único ponto de vista essa lenta sucessão de acontecimentos e de conhecimentos em sua ordem mais natural. [...]

Esses primeiros progressos puseram enfim o homem em condições de promovê-los mais rapidamente. Quanto mais o espírito se esclarecia, mais a indústria se aperfeiçoava. Em pouco tempo, deixando de dormir sob a primeira árvore, ou de se refugiar em cavernas, ele encontrou algumas espécies de machados de pedras duras e afiadas que serviram para cortar madeira, escavar a terra, e fazer cabanas de folhagens que em seguida logo foram entremeadas de argila e de lama. Essa foi a época de uma primeira revolução, que consolidou o estabelecimento e a distinção das famílias e que introduziu uma espécie de propriedade, a qual já deu margem a muitas querelas e conflitos. No entanto, como os mais fortes foram possivelmente os primeiros a construir alojamentos que se sentiam capazes de defender, tudo leva a crer que os fracos acharam mais rápido e seguro imitá-los do que tentar desalojá-los; e, quanto àqueles que já possuíam cabanas, nenhum teve que buscar se apropriar da de seu vizinho, menos em função de não lhe pertencer do que em virtude de lhe ser inútil, e porque não podia se apoderar dela sem se expor a um renhido combate com a família que o ocupava. [...]

Eis precisamente o nível a que chegou a maior parte dos povos selvagens que conhecemos; e é por não ter distinguido suficientemente as ideias, e observado como esses povos já estavam longe do primeiro estado de natureza, que muitos se precipitaram em concluir que o homem é naturalmente cruel e que precisa de uma organização social e política para domá-lo; ao passo que nada é tão manso como ele em seu estado primitivo, quando, afastado pela natureza tanto da estupidez dos brutos como das luzes funestas do homem civil, e coagido tanto pelo instinto como pela razão a se resguardar do mal que o ameaça, é impedido pela piedade natural de fazer ele próprio mal a alguém, sem ser levado a isso por algo, mesmo depois de ser agredido. Pois, segundo o axioma do sensato Locke, *não poderia haver injustiça ali onde não existe propriedade*.

Mas é preciso notar que a sociedade incipiente e as relações já estabelecidas entre os homens exigiam deles qualidades diferentes daquelas que mostravam em sua constituição primitiva; que a moralidade começando a se introduzir nas ações humanas, e cada um, antes das leis, sendo o único juiz e vingador das ofensas que recebera, a bondade conveniente ao puro estado de natureza não era mais aquela que convinha à sociedade nascente; que era preciso que as punições se tornassem mais severas à medida que os casos de injustiça se tornavam mais frequentes; e que cabia ao terror das vinganças servir de freio às leis. Assim, embora os homens se tivessem tornado menos pacientes, e a piedade natural já tivesse sofrido certa alteração, esse período do desenvolvimento das faculdades humanas, ocupando um meio-termo entre o conformismo do estado primitivo e a impulsiva atividade de nossa vaidade, deve ter sido a época mais feliz e mais duradoura. Quanto mais refletimos sobre isso, mais achamos que esse estado era o menos sujeito às revoluções, o melhor para o homem, o qual só deve ter saído dele por algum funesto acaso, que, para o bem comum, nunca deveria ter ocorrido. O exemplo dos selvagens, que encontramos quase todos nesse estágio, parece confirmar que o gênero humano fora criado com o objetivo de assim permanecer para sempre, que esse estado é a verdadeira juventude do mundo, e que todos os progressos posteriores foram aparentemente passos rumo à perfeição do indivíduo, mas na verdade rumo à deterioração da espécie.

Enquanto os homens se contentaram com suas cabanas rústicas, enquanto se limitaram a costurar suas roupas de peles com espinhos ou espinhas de peixe, a se enfeitar com plumas e conchas, a pintar o corpo de diversas cores, a aperfeiçoar ou embelezar seus arcos e suas flechas, a modelar com pedras afiadas algumas canoas de pescadores ou alguns grosseiros instrumentos musicais; em suma, enquanto só se dedicaram a trabalhos que só um podia fazer, e a ofícios que não precisavam da colaboração de muitas mãos, eles viveram livres, saudáveis, bons e felizes na medida em que o podiam ser por sua natureza, continuando a gozar entre si das delícias de um intercâmbio independente; mas, a partir do momento em que um homem precisou do socorro de um outro, desde que se percebeu que era útil a um único homem ter provisões para dois, a igualdade desapareceu, a propriedade se introduziu, o trabalho se tornou necessário e as vastas florestas viraram campos risonhos que era preciso regar com o suor dos homens, e nos quais logo se viu a escravidão e a miséria germinar e crescer junto com as colheitas.

A metalurgia e a agricultura foram as duas artes cuja invenção produziu essa grande revolução. Para o poeta, foram o ouro e prata; mas para o filósofo, foram o ferro e o trigo que civilizaram os homens e perderam o gênero humano. Tanto um como o outro eram desconhecidos para os selvagens da América, que por isso permaneceram tal e qual; os outros povos parecem inclusive ter permanecido bárbaros enquanto praticaram uma dessas artes sem a outra. E uma das melhores razões por que a Europa se tornou, se não mais cedo ao menos mais constantemente, mais bem estruturada que as outras partes do mundo, talvez resida em que é ao mesmo tempo a mais abundante em ferro e a mais fértil em trigo. [...]

A invenção das outras artes foi portanto necessária para forçar o gênero humano a se dedicar à da agricultura. Desde que homens se fizeram necessários para fundir e forjar o ferro, outros homens se fizeram necessários para alimentar aqueles. Quanto mais o número de trabalhadores se multiplicava, menos havia mãos voltadas para fornecer a subsistência comum sem que houvesse menos bocas para consumi-la; e, como a estes se fizeram necessários víveres em troca de seu ferro, os outros descobriram finalmente o segredo de empregar o ferro na multiplicação dos víveres. Daí nasceram, de um lado, o trabalho e a agricultura e, de outro, a arte de trabalhar os metais e de multiplicar seus usos.

À cultura das terras seguiram-se necessariamente sua divisão e, uma vez reconhecida a propriedade, regras de justiça: pois, para dar a cada um o seu quinhão, é necessário que cada um possa ter alguma coisa; além disso, os homens começando a pensar no futuro, e constatando que todos perderiam alguns bens não havia um que não temesse a represália pelos erros que podia cometer contra o outro. Essa origem é ainda mais natural na medida em que é impossível conceber a ideia da propriedade nascente sem ser através da mão de obra; pois não se vê que, para se apropriar das coisas que ele não produziu, o homem deve colocar aí mais que seu trabalho. É apenas o trabalho que, dando direito ao agricultor sobre o produto da terra que ele cultivou, lhe dá direito por conseguinte sobre o solo, ao menos até a coleta, e assim ano após ano; o que, constituindo uma posse contínua, transforma-se assim facilmente em propriedade. 99

QUESTÕES E TEMAS PARA DISCUSSÃO

1. Como Rousseau caracteriza a origem da sociedade?
2. Qual o papel das invenções e das artes para Rousseau?
3. Qual a visão de natureza humana apresentada no texto?
4. Como Rousseau distingue a desigualdade natural da desigualdade social?
5. Quais as causas da desigualdade social, segundo o texto?

LEITURAS SUGERIDAS

Rousseau
O contrato social, São Paulo, Martins Fontes, 1989.
Discurso sobre a origem e os fundamentos da desigualdade entre os homens, São Paulo, Martins Fontes, 1993.
As confissões, Rio de Janeiro, Ediouro, 1993.
Os devaneios de um caminhante solitário, Brasília, Ed. Universidade de Brasília, 1986.
Emílio, ou Da educação, Rio de Janeiro, Bertrand, 3.ed., 1995.
A nova Heloísa, Campinas, Ed. da Unicamp, 1994.

Sobre Rousseau:
Dicionário Rousseau, de N.J.H. Dent, Rio de Janeiro, Zahar, 1996.
Jean-Jacques Rousseau, a transparência e o obstáculo, de Jean Starobinski, São Paulo, Companhia das Letras.

HUME

David Hume (1711-76) representa o ponto alto da tradição empirista, a qual ele leva às últimas consequências. Filósofo escocês, nascido em Edimburgo, Hume publicou seu *Tratado sobre a natureza humana* em 1739 e, considerando que essa obra teve pouco impacto, reescreveu suas ideias publicando *Uma investigação sobre o entendimento humano* (1748) e *Uma investigação sobre os princípios da moral* (1751). Seus *Diálogos sobre a religião natural*, publicados postumamente, consistem em um ataque à teologia natural. Hume teve fama de ateu, e isso contribuiu para que não fosse bem-sucedido em sua pretensão de tornar-se professor universitário de filosofia na Escócia. Exerceu várias funções diplomáticas e, em sua época, foi mais conhecido como historiador, devido ao grande sucesso de sua *História da Inglaterra*, em seis volumes, publicada em 1761.

TRATADO SOBRE A NATUREZA HUMANA
Sobre a identidade pessoal

> Hume foi considerado cético sobretudo devido à sua crítica radical à noção de subjetividade, um dos pontos centrais do racionalismo cartesiano, bem como à sua crítica ao princípio de causalidade como princípio metafísico fundamental que sustenta a unidade do mundo natural. Ambas essas críticas são consequências de seu empirismo. Se todas as ideias têm sua origem na impressão sensível, então não há nada que possamos considerar o "eu" (*self*, na terminologia de Hume) para além das impressões sensíveis que temos em um determinado momento. A permanência e a continuidade desse "eu" mental são garantidas apenas

> pela memória, que, no entanto, não é plenamente confiável. Por isso, Hume afirma que o "eu" consiste apenas em um "feixe de percepções". Ora, como as percepções variam de acordo com a variação de nossa experiência, não podemos a rigor afirmar a unidade e permanência da identidade pessoal como uma realidade mental, independente das experiências que temos.

> Há muitos filósofos que imaginam que estamos a cada momento intimamente conscientes do que chamamos de nosso *eu* (*self*); que sentimos sua existência e permanência, e que temos certeza, além da evidência de uma demonstração, de sua perfeita identidade e simplicidade. A mais forte das sensações, a mais violenta paixão, dizem eles, em vez de nos afastarem deste ponto de vista, apenas o reforçam ainda mais intensamente, fazendo-nos considerar sua influência no *eu*, seja pelo prazer ou pela dor que causam. Tentar uma prova mais básica disto seria enfraquecer a própria evidência, uma vez que nenhuma prova pode ser derivada de nenhum fato do qual estamos tão intimamente conscientes, nem há nada de que possamos estar certos, se duvidarmos disto.
> Infelizmente todas estas asserções positivas são contrárias à experiência que é evocada neste caso, nem temos nenhuma ideia do *eu*, do tipo que explicamos aqui. Pois de que impressão poderia esta ideia ser derivada? A esta questão não podemos dar uma resposta sem um absurdo ou contradição manifesta; e, no entanto, trata-se de uma questão que deve necessariamente ser respondida, se quisermos considerar a ideia do *eu* como clara e inteligível. Deve haver alguma impressão que sirva de fonte para cada ideia real. Mas *eu* ou *pessoa* não corresponde a nenhuma impressão, consistindo naquilo a que todas as nossas várias impressões e ideias estão supostamente referidas. Se alguma impressão der origem à ideia de eu, esta impressão deve permanecer invariavelmente a mesma, durante toda a duração de nossas vidas, uma vez que supõe-se que o eu exista desta maneira. Mas não há nenhuma impressão constante e invariável. A dor e o prazer, a tristeza e a alegria, as paixões e as sensações sucedem-se umas às outras, e nunca existem todas ao mesmo tempo. Não pode ser, portanto, de nenhuma destas impressões, nem de nenhuma outra, que nossa ideia de eu é derivada, e consequentemente essa ideia não existe.
> Mas, além disso, o que aconteceria com todas as nossas percepções particulares se aceitássemos esta hipótese? Todas elas são diferentes, distinguíveis e separáveis umas das outras, e não necessitam de nada em que basear a sua existência. De que modo, portanto, pertenceriam ao eu; e como se relacionariam a isso? De minha parte, quando entro do modo mais íntimo em contato com isso que denomino *eu mesmo* (*myself*), sempre encontro uma ou outra percepção particular, de calor ou frio, de luz ou sombra, de amor ou ódio, de dor

ou prazer. Nunca posso apreender a *mim mesmo* (*myself*), a qualquer momento, sem nenhuma percepção, e nunca posso observar nada além da percepção. Quando minhas percepções são eliminadas por algum momento, como no sono profundo, durante esse período sou insensível em relação a *mim mesmo*, e posso verdadeiramente dizer que não existo. E se todas as minhas percepções fossem eliminadas pela morte, e se eu não pudesse pensar, sentir ou ver, nem amar, nem odiar, após a dissolução de meu corpo, eu seria inteiramente aniquilado, e nem posso imaginar o que mais seria necessário para tornar-me um perfeito não-ser. Se alguém, a partir de uma reflexão séria e isenta de preconceitos, pensa ter uma noção diferente de *si mesmo* (*himself*), devo confessar que não sou mais capaz de acompanhar o seu raciocínio. Tudo que posso lhe conceder é que talvez ele esteja tão certo quanto eu e que diferimos de modo essencial nesse particular. Ele talvez perceba algo simples e permanente, que denomina o seu *eu* (*himself*), embora eu esteja certo de que não há em mim tal princípio.

Mas, excluindo um metafísico desse tipo, eu me aventuro a afirmar que o resto da humanidade não é nada além de um feixe ou coleção de diferentes percepções, que se sucedem umas às outras com rapidez inconcebível e se encontram em fluxo e movimento perpétuos. Nossos olhos não podem mover-se em suas órbitas sem mudar nossas percepções. Nosso pensamento é ainda mais variável que nossa visão, e todos os nossos sentidos e faculdades contribuem para esta mudança; nem há nenhum poder da alma que permaneça inalterado, sequer por um momento. A mente é uma espécie de teatro, onde várias percepções se sucedem, passam, repassam, desaparecem e se misturam em uma variedade de maneiras e situações. Não há propriamente nenhuma *simplicidade* nela em nenhum momento, nem uma *identidade* na diferença; apesar de alguma tendência natural que possamos ter para imaginar esta simplicidade e identidade. A comparação com o teatro não deve nos enganar. Não possuímos a mais remota noção do lugar onde essas cenas são representadas, nem do material de que são compostas.

UMA INVESTIGAÇÃO SOBRE O ENTENDIMENTO HUMANO
Da origem das ideias

A teoria do conhecimento de Hume segue a tradição empirista, atribuindo a origem das ideias à experiência sensível. Quanto mais próximas da percepção que as originou, mais nítidas e precisas são as ideias. Hume distingue impressões sensíveis de ideias: as ideias, por mais abstratas que sejam, são, em

> última análise, sempre cópias de impressões sensíveis. Além das impressões sensíveis, o modo de operar de nossa própria mente é a outra fonte de ideias, permitindo-nos estabelecer associações entre elas.
>
> O texto que se segue, extraído da *Investigação sobre o entendimento humano*, contém a exposição inicial de Hume sobre a origem das ideias.

11. Qualquer um está pronto a admitir que existe uma diferença considerável entre as percepções da mente, quando um homem sente a dor decorrente do calor excessivo, ou o prazer de um clima moderado, e quando ele traz de novo à sua memória, mais tarde, tal sensação, ou a antecipa em sua imaginação. Essas faculdades podem imitar ou copiar as percepções dos sentidos; mas elas não chegam jamais a alcançar a força e vivacidade do sentimento original. O máximo que podemos dizer a respeito delas, mesmo quando operam com o maior vigor, é que representam seu objeto de uma maneira tão viva que *quase* poderíamos dizer que o sentimos ou vemos. Mas, com exceção das mentes deturpadas pela doença ou pela loucura, elas nunca serão capazes de chegar a um tal grau de vivacidade, a ponto de tornar impossível distinguir as percepções. Todas as cores da poesia, embora esplêndidas, nunca podem pintar objetos naturais de tal maneira que façam a descrição ser tomada por uma paisagem real. O mais vivo dos pensamentos continua sendo inferior à mais vaga das sensações.

Podemos observar uma distinção semelhante atravessando todas as outras percepções da mente. Um homem num acesso de raiva é instigado de uma maneira muito diferente da de alguém que apenas pensa nessa emoção. Se você me contar que uma pessoa está apaixonada, entendo facilmente o que você quer dizer com isso e formo uma concepção precisa da situação; mas nunca se confundirá essa concepção com as desordens e agitações da paixão. Quando refletimos sobre nossos sentimentos e impressões do passado, o pensamento é um espelho fiel, que copia seu objeto com veracidade; mas as cores que ele utiliza são fracas e vagas em comparação com aquelas que vestiam nossas percepções originais. Não é necessário nenhum discernimento sutil, nenhuma cabeça metafísica, para assinalar a diferença entre elas.

12. Aqui, portanto, podemos dividir todas as percepções da mente em duas classes ou espécies, que se distinguem por seus diferentes níveis de força e vivacidade. As menos fortes e vivas são normalmente denominadas *Pensamentos* ou *Ideias*. A outra espécie ainda precisa de um nome em nossa língua, assim como em muitas outras; suponho que isso se dê porque nenhum foi necessário, havendo apenas intenções filosóficas de classificar tais percepções sob um termo ou designação geral. Vamos fazer uso, então, de alguma liberdade, chamando-as de *Impressões*; palavra empregada em um sentido um tanto dife-

rente do usual. Pois, com o termo *impressão*, refiro-me a todas as nossas percepções mais vivas, quando ouvimos, ou vemos, ou sentimos, ou amamos, ou odiamos, ou desejamos, ou queremos. E impressões se distinguem de ideias, as percepções menos vivas de que temos consciência quando refletimos sobre qualquer uma das sensações ou movimentos mencionados acima.

13. À primeira vista, nada pode parecer mais ilimitado que o pensamento humano, que não só escapa a todo poder e autoridade dos homens, como também não fica restrito nem mesmo aos limites da natureza e da realidade. Formar monstruosidades, juntar desenhos e aparências incongruentes não custa à imaginação nenhum esforço a mais do que ao conceber os objetos mais naturais e familiares. E enquanto o corpo está confinado num único planeta, pelo qual se arrasta com dor e dificuldade, num instante o pensamento pode nos transportar para as regiões mais distantes do universo; ou mesmo para além do universo, para o caos ilimitado, onde a natureza se encontra, supostamente, em total confusão. Aquilo que nunca foi visto, de que nunca se ouviu falar, pode no entanto ser concebido. Nada está além do poder do pensamento, exceto o que implica uma absoluta contradição.

Contudo, embora o nosso pensamento pareça possuir essa liberdade ilimitada, notaremos, baseados em um exame mais detalhado, que na realidade ele está confinado dentro de limites muito estreitos, e que todo o poder criativo da mente se reduz a nada mais do que a faculdade de compor, transpor, aumentar ou diminuir os materiais que nos fornecem os sentidos e a experiência. Quando pensamos em uma montanha de ouro, não fazemos mais do que juntar duas ideias consistentes, *ouro* e *montanha*, que já conhecíamos. Podemos conceber um cavalo virtuoso; porque somos capazes de conceber a virtude a partir de nossos próprios sentimentos; e podemos unir a isso a figura e a forma de um cavalo, animal que nos é familiar. Em resumo, todos os materiais do pensamento derivam ou do nosso sentimento exterior ou do interior: a mistura e a composição de ambos dizem respeito à mente e à vontade. Ou seja, para me expressar em linguagem filosófica, todas as nossas ideias, percepções mais débeis, são cópias de nossas impressões, mais vivas.

14. Para provar isso, espero que os seguintes argumentos sejam suficientes. Primeiro, quando analisamos os nossos pensamentos e ideias, mesmo os compostos ou sublimes, sempre notamos que eles se reduzem a ideias tão simples quanto as copiadas de um sentimento precedente. Até as ideias que, à primeira vista, parecem as mais distantes dessa origem mostram-se, de acordo com um exame detalhado, como derivadas dela. A ideia de Deus, significando um Ser infinitamente inteligente, sábio e bom, surge da reflexão sobre as operações de nossas próprias mentes, com as qualidades de bondade e

sabedoria aumentadas ilimitadamente. Podemos dar prosseguimento a esta investigação o quanto quisermos; sempre notaremos que cada ideia examinada é cópia de uma impressão similar. Aqueles que argumentam contra tal posição, afirmando que ela não é universalmente verdadeira e tem exceções, só possuem um método de refutá-la, bastante simples: apontando a ideia que, em sua opinião, não deriva dessa fonte. Então, se pretendêssemos manter nossa doutrina, caberia a nós apontar a impressão, ou percepção viva, que correspondesse a tal ideia.

15. Segundo. Se acontece de um homem, devido a um defeito orgânico, não ser suscetível a nenhuma espécie de sensação, sempre notaremos que ele tampouco é suscetível à ideia correspondente. Um homem cego não pode ter noção alguma das cores; um surdo, dos sons. Restaure os sentidos de que os dois são deficientes; abrindo essa nova entrada para suas sensações, você abre também uma entrada para as ideias; e eles não encontrarão dificuldade em conceber aqueles objetos. É o mesmo caso de quando um objeto, próprio para estimular certa sensação, nunca foi aplicado ao órgão de sentido. Um lapão ou um negro não têm nenhuma noção do gosto do vinho. E, apesar de haver poucos exemplos, talvez nenhum, de deficiências assim em que uma pessoa nunca sentiu algo, sendo totalmente incapaz de um sentimento ou de uma paixão pertencentes à sua espécie, entretanto notamos que a mesma observação tem lugar em graus menos intensos. Um homem de maneiras pacíficas não é capaz de formar a ideia de crueldade ou vingança a qualquer custo; assim como um coração egoísta não chega facilmente a conceber a elevação da amizade e da generosidade. É perfeitamente admissível que outros seres possuam muitos sentidos dos quais não podemos ter concepção alguma; porque as ideias deles nunca foram apresentadas a nós da única maneira pela qual uma ideia pode ter acesso à mente, isto é, pelo próprio sentimento e sensação. [...]

18. É evidente que há um princípio de conexão entre os diferentes pensamentos ou ideias da mente, e que cada um deles apresenta o outro, em sua aparição para a memória e a imaginação, com certo grau de regularidade e de método. Em nossos pensamentos ou discursos mais sérios isso é tão observável que qualquer pensamento, em particular, a interromper o curso regular ou corrente de ideias é imediatamente percebido e rejeitado. E mesmo em nossos devaneios mais descontrolados e mais errantes, até em nossos próprios sonhos, podemos notar, se refletirmos, que a imaginação não corre à solta em aventuras, mas continua havendo uma conexão, mantida em meio à diversidade das ideias que se sucedem. Se a conversa mais livre e frouxa fosse transcrita, imediatamente se observaria algo que a conecta em todas as suas transições. Nos pontos onde isso não ocorre, a pessoa que rompeu o fio discursivo ainda será capaz de informar que, em segredo, estivera revolvendo na mente uma sucessão de pensamentos que a conduziram, gradualmente, a partir do assunto da conversa. Entre línguas diferentes, mesmo quando não podemos suspeitar que haja a mínima conexão ou comunicação, nota-se como as palavras, ao expressarem as ideias, as mais compostas, acabam sendo correspondentes: uma prova segura de que as ideias simples, contidas nas compostas, eram ligadas por algum princípio universal que teve uma influência igual para toda a humanidade.

19. Embora o fato de as diferentes ideias estarem conectadas seja óbvio demais para escapar à observação, não considero que nenhum filósofo tenha tentado enumerar ou classificar todos os princípios de associação; um assunto que se mostra, contudo, digno de curiosidade. Para mim, parece haver apenas três princípios de conexão entre ideias, a saber: *Semelhança*, *Contiguidade* no tempo ou no espaço, e *Causa* ou *Efeito*.

UMA INVESTIGAÇÃO SOBRE O ENTENDIMENTO HUMANO
A causalidade

> A crítica ao princípio da causalidade é outro aspecto do ceticismo de Hume e de sua radicalização das teses centrais do empirismo. Não temos efetivamente, segundo Hume, nenhuma experiência da relação causa efeito como uma conexão necessária entre eventos que ocorrem no real, isto é, não temos nenhuma experiência propriamente dita da causalidade. Tudo que percebemos são relações entre fenômenos de continuidade e regularidade que, pela repetição e pelo hábito, acabamos como que projetando no real e atribuindo à própria natureza, sem termos nenhuma evidência empírica disto. Daí o famoso exemplo das bolas de bilhar que encontramos no texto que se segue, mostrando que percebemos o movimento das bolas e o impacto da primeira sobre a segunda, mas não a relação causal em si mesma.

58. Porém, pretendemos nos dirigir mais rapidamente à conclusão desse argumento, que já teve seu espaço de destaque muito longo: procuramos em vão uma ideia de força, ou conexão necessária, em todas as fontes das quais poderíamos supor que ela fosse derivada. Parece que, em casos singulares

da operação de corpos, não podemos descobrir, mesmo por meio de nosso exame mais minucioso, nada além de um evento seguindo outro sem sermos capazes de compreender alguma força ou poder segundo os quais certa causa opera, nem qualquer conexão entre ela e seu suposto efeito. A mesma dificuldade ocorre na contemplação das operações da mente sobre o corpo — nas quais observamos o movimento deste seguindo a determinação daquela, mas não somos capazes de observar ou conceber o laço que prende o movimento e a determinação, nem a energia pela qual a mente produz esse efeito. A autoridade da vontade sobre suas próprias faculdades e ideias não é assunto mais compreensível. De modo que, no geral, perpassando toda a natureza, não aparece nenhum caso de conexão que seja concebível por nós. Todos os eventos parecem inteiramente soltos e separados. Um evento segue outro, mas nunca podemos observar nenhum laço entre eles. Eles aparecem *conjugados*, mas nunca *conectados*. Como não podemos ter nenhuma ideia de qualquer coisa que nunca apareceu para nosso sentido externo ou sentimento interno, a conclusão necessária *parece* ser a de que não possuímos nenhuma ideia de conexão ou força, e que tais palavras absolutamente não têm sentido quando as empregamos, tanto nos raciocínios filosóficos quanto na vida comum.

59. Mas ainda resta um método para evitar essa conclusão, e uma fonte que não examinamos. Quando qualquer objeto ou evento natural se apresenta, é impossível para nós, por meio de qualquer sagacidade ou argúcia, descobrir ou mesmo conjecturar, sem experiência, qual evento resultará daquele, ou conduzir a nossa previsão para algo além do objeto que está imediatamente presente para a memória e os sentidos. Mesmo após uma situação, ou um experimento, em que tenhamos observado um evento particular vir em seguida de outro, não estamos autorizados a formar uma regra geral, a antecipar o que acontecerá em casos semelhantes. É justo que se considere uma temeridade imperdoável julgar todo o curso da natureza a partir de um experimento singular, apesar da sua precisão e certeza. Mas quando uma espécie particular de eventos sempre esteve, em todos os casos, conjugada com outra, não temos nenhum escrúpulo em prever um desses eventos a partir da aparição do outro, empregando aquele raciocínio que, sozinho, nos assegura de qualquer fato ou existência. Então, chamamos um objeto de *Causa*; o outro de *Efeito*. Supomos que haja alguma conexão entre eles; alguma força, no primeiro, pela qual ele produz infalivelmente o segundo, operando com a maior certeza e a mais forte necessidade.

Parece, então, que a ideia de uma conexão necessária entre os eventos surge de uma quantidade de situações similares, que decorrem da conjunção constante desses eventos. Tal ideia não pode nunca ser sugerida por qualquer dessas situações, inspecionada em cada posição e sob todas as abordagens possíveis. Mas não existe nada, em uma quantidade de situações, diferente de qualquer situação singular supostamente similar às outras; exceção feita apenas ao fato de, após uma repetição de situações similares, a mente ser levada pelo hábito a esperar, quando um evento aparece, aquilo que costuma acompanhá-lo, acreditando que esse acompanhamento vai acontecer. Por conseguinte, essa conexão que *sentimos* na mente, essa transição costumeira da imaginação de um objeto para aquilo que o acompanha usualmente, é o sentimento ou impressão a partir do qual formamos a ideia de força ou conexão necessária. Não se trata de nada além disso. Contemple o assunto de todos os ângulos; você nunca achará nenhuma outra origem da ideia em questão. É essa a única diferença entre uma situação singular, da qual nunca podemos receber a ideia de conexão, e uma quantidade de situações similares, pelas quais a ideia é sugerida. Vendo pela primeira vez a comunicação de movimento por impulsão, por exemplo, no choque de duas bolas de bilhar, um homem não poderia afirmar que um evento estava *conectado* ao outro, mas apenas que eles estavam *conjugados*. Após observar diversas situações dessa natureza, ele passa a afirmar que os eventos são *conectados*. Que alteração aconteceu para dar origem a essa ideia nova de *conexão*? Nada além do fato de ele agora *sentir* que esses eventos estão *conectados* em sua imaginação, podendo predizer prontamente a existência de um deles a partir da aparição do outro. Assim, quando dizemos que um objeto está conectado a outro, isso significa apenas que eles adquiriram uma conexão em nosso pensamento, dando origem à inferência pela qual um se torna prova da existência do outro. Uma conclusão que tem algo de extraordinário, mas que parece fundada em evidência suficiente. E sua evidência não será enfraquecida por nenhuma desconfiança genérica por parte do entendimento, nem por uma suspeita cética a respeito de qualquer conclusão nova e extraordinária. Nenhuma conclusão pode agradar mais ao ceticismo do que as descobertas a respeito dos limites tênues e estreitos da razão e da capacidade humana.

QUESTÕES E TEMAS PARA DISCUSSÃO

Sobre a identidade pessoal
1. Qual o teor da crítica de Hume à identidade pessoal e quais as consequências céticas desta crítica?

Da origem das ideias
2. Quais as fontes das ideias, segundo Hume?

3. Por que, para Hume, quanto mais próximas das sensações que as originam, mais nítidas e, portanto, mais válidas são as ideias?

A causalidade
4. Por que Hume considera problemática a concepção tradicional de causalidade e em que sentido se propõe a redefinir esta concepção?
5. Como podemos interpretar o exemplo das bolas de bilhar como ilustrativo da posição de Hume acerca da causalidade?
6. Como se pode entender o empirismo de Hume nos textos estudados?

LEITURAS SUGERIDAS

Hume
Hume, col. Os Pensadores, São Paulo, Nova Cultural, 2000.

Sobre Hume:
Hume em 90 minutos, de Paul Strathern, Rio de Janeiro, Zahar, 1997.
O ceticismo de Hume, de Plínio Smith, São Paulo, Loyola, 1995.

KANT

Immanuel Kant (1724-1804) formulou uma concepção de *filosofia crítica* de grande importância para o desenvolvimento posterior da filosofia. Nascido em Königsberg (então na Prússia Oriental) Kant passou toda a sua vida nesta cidade, em cuja universidade estudou e da qual tornou-se professor. Inicialmente Kant formou-se na tradição filosófica racionalista, então dominante nas universidades alemãs. Interessado em ciências e leitor de Rousseau e Hume, Kant afastou-se dessa tradição, em parte por influência da leitura de Hume que, segundo confessou, "despertou-me de meu sono dogmático". Seu objetivo foi então superar a oposição tradicional entre racionalismo e empirismo, bem como as controvérsias infindáveis entre filósofos, colocando a filosofia no "caminho seguro da ciência".

Em 1781 Kant publica sua obra mais influente, a *Crítica da razão pura*, que tem uma segunda edição revista em 1787. Pretende formular nessa obra seu modelo de conhecimento, examinando as condições de possibilidade da experiência humana no campo do conhecimento da realidade, sendo a função primordial da crítica distinguir aquilo que está ao alcance da experiência daquilo que se encontra fora dela: o pensamento especulativo. Por esse critério, a física e a matemática são efetivamente ciências, enquanto a metafísica tradicional é pensamento especulativo. À filosofia é reservada, do ponto de vista do conhecimento, a tarefa crítica.

Em 1788 Kant publica a *Crítica da razão prática*, em que formula as bases de sua ética fortemente racionalista; e em 1790 a *Crítica do juízo*, em que examina o que denomina "faculdade de julgar" (*Urteilskraft*), considerando a especificidade do juízo estético, embora essa obra não se limite à discussão sobre estética, visando, em última análise, superar a dicotomia razão pura teórica (conhecimento) e razão prática (moral).

CRÍTICA DA RAZÃO PURA
A filosofia crítica

> No prefácio à segunda edição da *Crítica da razão pura* (1787), Kant defende sua proposta de uma filosofia crítica visando superar a dicotomia entre racionalismo e empirismo, examinar as condições de possibilidade da experiência humana do real e fundamentar nossas pretensões ao conhecimento, demarcando os casos legítimos em que se produz conhecimento dos casos em que nossa pretensão ao conhecimento é infundada.
>
> Kant considera, ao contrário do que propunha a filosofia tradicional, que os objetos de nosso conhecimento devem conformar-se à nossa estrutura cognitiva, e não o conhecimento à natureza do objeto; propõe-se assim a operar o que denomina uma "revolução copernicana" na filosofia, equivalente à descoberta por Copérnico de que a Terra gira em torno do Sol, e não o Sol em torno da Terra como até então se acreditava.

❝ O propósito desta crítica da razão especulativa pura consiste na tentativa de reformular o procedimento habitual da metafísica, propondo-nos deste modo uma completa revolução em relação a esta segundo o exemplo dos geômetras e pesquisadores da natureza. Ela é um tratado do método e não um sistema da própria ciência; ainda assim desenha o contorno total da metafísica, tanto no que respeita seus limites quanto à estrutura interna total de seus membros. Pois a razão especulativa pura tem em si a peculiaridade de que pode e deve medir a sua própria faculdade de acordo com a diversidade do modo como ela escolhe objetos para pensá-los, e de ainda enumerar completamente os diversos modos de apresentar seus problemas, assim desenhando todo o esboço para um sistema da metafísica. Porque, no que concerne ao primeiro ponto, no conhecimento a priori nada pode ser atribuído aos objetos senão o que o sujeito pensante tira de si mesmo e, no que concerne ao segundo ponto, a razão especulativa pura é, relativamente aos princípios de conhecimento, uma unidade totalmente peculiar, subsistente por si, na qual cada membro existe como em um corpo organizado em vista de todos os outros e todos em vista de cada um; nenhum princípio pode ser tomado com certeza em *uma* relação sem ter sido ao mesmo tempo investigado na relação *exaustiva* com o uso puro completo da razão. Mas para isso também a metafísica possui a rara sorte, que não pode ser concedida a nenhuma outra ciência da razão que tenha a ver com objetos (pois a *lógica* ocupa-se somente com a forma do pensamento em geral), de, se for introduzida mediante esta Crítica no caminho seguro de uma ciência, poder abranger completamente o campo inteiro dos conhecimentos afetos a ela, e concluindo portanto a sua obra e legando-a para uso da posteridade como um patrimônio que jamais pode ser aumentado, pois ela tem a ver meramente com princípios [*Prinzipien*] e as limitações de seu uso, as quais são determinadas por aqueles princípios. A essa completude ela está também obrigada como ciência fundamental, e dela tem que poder dizer-se: "*Nil actum reputans, si quid superesset agendum*".*

Mas, perguntar-se-á, que tesouro é este que tencionamos legar à posteridade com uma tal metafísica, depurada pela Crítica, mas levada também por ela a um estado duradouro? Num relance superficial de olhos sobre esta obra, contudo, crer-se-á perceber que sua utilidade seja apenas *negativa*, ou seja, de jamais ousarmos estender-nos para além dos limites da experiência, e esta também é de fato sua primeira utilidade. Mas esta utilidade torna-se *positiva* tão logo nos dermos conta de que as proposições fundamentais [*Grundsätze*], com as quais a razão especulativa aventura-se para além de seus limites, de fato têm como resultado inevitável não uma *extensão*, mas — se as observamos mais de perto — uma restrição de nosso uso da razão, na medida em que elas efetivamente ameaçam estender a tudo os limites da sensibilidade, à qual propriamente pertencem, e deste modo anular o uso puro (prático) da razão. Por isso, uma Crítica, que limita a razão especulativa, é nessa medida por certo *negativa*, mas na medida em que com isso ela ao mesmo tempo remove um obstáculo, que limita o último uso ou até ameaça destruí-lo, possui uma utilidade *positiva* e muito importante, tão logo nos convençamos de que existe um uso prático absolutamente necessário da razão prática (o uso moral), no qual ela inevitavelmente se estende acima dos limites da sensibilidade, para o que por certo não precisa de nenhuma ajuda da razão especulativa; contudo ela tem de ser assegurada contra o seu efeito adverso, para não cair em contradição consigo mesma. Negar a utilidade *positiva* da Crítica seria o mesmo que dizer que a polícia não possui nenhuma utilidade, pois sua ocupação principal é somente fechar a porta à violência — que os cidadãos possam temer uns dos outros — para que cada um possa dedicar-se tranquila e seguramente aos seus afazeres. Na parte analítica da Crítica, prova-se que espaço e tempo são somente formas da intuição sensível, portanto somente condições da existência das coisas como fenômenos, e que além disso não possuímos nenhum elemento para o conhecimento das coisas senão na medida em que a esses conceitos possa ser dada uma intuição correspondente; consequentemente não podemos ter um conhecimento de nenhum objeto [*Gegenstand*] enquanto coisa em si mesma, mas somente enquanto ele é um

---

*"Nada reputando como feito, se algo restasse por fazer". (Citação do poeta romano Lucanus, 39-65 d.C.)

objeto [*Objekt*] da intuição sensível, isto é, enquanto fenômeno; disso resulta obviamente a limitação de todo o conhecimento especulativo apenas possível da razão a simples objetos da *experiência*. Todavia, note-se bem, com a ressalva de que temos de poder pelo menos *pensar*, ainda que não *conhecer*, os mesmos objetos também como coisas em si mesmas.* Pois do contrário resultaria disso a proposição absurda de que haveria fenômeno sem que aparecesse algo nele. Admitamos agora que não fosse feita a distinção, tornada necessária pela nossa Crítica, entre as coisas como objetos da experiência e como coisas em si mesmas; neste caso, a proposição fundamental da causalidade, e por conseguinte o mecanismo da natureza na determinação das mesmas, valeria absolutamente para todas as coisas em geral como causas eficientes. Portanto eu não poderia dizer acerca do mesmo ente, por exemplo da alma humana, sem cair em manifesta contradição, que sua vontade seja livre e que ela esteja ao mesmo tempo submetida à necessidade da natureza, isto é, que ela não seja livre, porque em ambas as proposições tomei a alma *justamente na mesma significação*, a saber, como coisa em geral (como coisa em si mesma); e sem uma crítica precedente também não podia tomá-la diferentemente. Mas se a Crítica não errou, uma vez que ela ensina a tomar o objeto em uma *dupla significação*, ou seja, como fenômeno ou como coisa em si mesma; se a dedução de seus conceitos de entendimento é correta, por conseguinte também a proposição fundamental da causalidade concerne somente a coisas tomadas no primeiro sentido, a saber, na medida em que elas são objetos da experiência, mas não estando, na segunda significação, submetidas àquela proposição: neste caso, precisamente a mesma vontade no fenômeno (nas ações visíveis) é necessariamente conforme à lei da natureza, e nesta medida *não é livre*; contudo, por outro lado, enquanto pertencente a uma coisa em si mesma, não está submetida àquela lei, por conseguinte é pensada como *livre*, sem que neste caso ocorra uma contradição. Ora, ainda que sob o último aspecto eu não possa conhecer minha alma mediante nenhuma razão especulativa (menos ainda pela observação empírica), por conseguinte tampouco posso *conhecer* a liberdade como propriedade de um ente ao qual atribuo efeitos no mundo dos sentidos, pelo fato de que eu não teria de conhecer um tal ente segundo sua existência e como determinado no tempo (o que, por não poder submeter a meu conceito nenhuma intuição, é impossível); contudo, assim posso *pensar*

---

*Para *conhecer* um objeto requer-se que eu possa provar sua possibilidade (quer segundo o testemunho da experiência a partir de sua realidade efetiva ou a priori pela razão). Mas posso *pensar* o que eu quiser, contanto apenas que não me contradiga a mim mesmo, isto é, que meu conceito seja somente um pensamento possível, ainda que eu não possa garantir que no conjunto de todas as possibilidades corresponda também a este um objeto ou não. Mas apara atribuir a um tal conceito validade objetiva (possibilidade real, pois a primeira era apenas lógica), requerer-se-á algo mais. Este mais, porém, não precisa ser procurado justamente em fontes de conhecer teóricas, ele pode também encontrar-se em fontes práticas.

a liberdade, isto é, pelo menos a sua representação não encerra nenhuma contradição caso se efetue a nossa distinção crítica de ambos os modos de representação (o sensível e o intelectual) e a decorrente limitação dos conceitos de entendimento puros, por conseguinte também das proposições fundamentais decorrentes deles.

Ora, admitamos que a moral pressuponha necessariamente a liberdade (no sentido mais estrito) como propriedade de nossa vontade, na medida em que ela alega que se encontram em nossa razão princípios práticos originários como *dados* [*Data*] dessa razão a priori, que sem a pressuposição da liberdade seriam absolutamente impossíveis, mas que a razão especulativa tivesse provado que essa não pode de modo algum ser pensada: então aquela pressuposição (a saber, a moral) necessariamente tem de ceder àquela cujo oposto contém uma contradição manifesta, consequentemente a *liberdade*, e com ela a moralidade (pois seu oposto não contém nenhuma contradição se a liberdade já não for pressuposta), têm de ceder lugar ao *mecanismo da natureza*. Assim porém, visto que para a moral não preciso de nada mais senão que a liberdade não se contradiga, e que portanto pelo menos se deixe pensar, sem ter necessidade de uma ulterior perspiciência* dela, que ela portanto não oponha nenhum obstáculo ao mecanismo natural da mesma ação (tomada em outro sentido): assim, a doutrina da moralidade afirma o seu lugar e a teoria da natureza também o seu, o que não teria ocorrido se a Crítica não nos tivesse instruído antes sobre nossa inevitável ignorância acerca das coisas em si mesmas e não tivesse limitado a simples fenômenos tudo o que podemos conhecer teoricamente. Este mesmo raciocínio, da utilidade positiva das proposições fundamentais críticas da razão pura, pode mostrar-se em relação ao conceito de Deus e da *natureza simples* de nossa alma, mas que para ser breve deixo de lado. Portanto, não posso admitir uma vez sequer *Deus, liberdade* e *imortalidade*, para fins do uso prático necessário de minha razão, se não embargo ao mesmo tempo a presunção da razão especulativa a conhecimentos transcendentes, porque ela, para chegar a estes, tem de servir-se de tais proposições fundamentais, que, enquanto de fato alcançam objetos da experiência possível, quando contudo são aplicados ao que não pode ser objeto da experiência, sempre o transformam efetivamente em fenômeno e deste modo declaram como impossível toda a *extensão prática* da razão pura. Logo, eu tive de elevar [*aufheben*] o *saber*, para obter um lugar para a fé, e o dogmatismo da metafísica, isto é, o preconceito de progredir nela sem uma crítica da razão pura é a verdadeira fonte de toda a descrença conflitante com a moral, descrença essa que, aliás, é sempre muito dogmática. Portanto, se

---

* Trata-se de um jogo de palavras, muito a gosto de Santo Agostinho, entre perito, "sábio", "especialista", e perituro, "aquele que perecerá".

justamente não pode ser difícil a uma metafísica, composta sistematicamente em conformidade com a *Crítica da razão pura*, legar um testamento à posteridade, este não é um presente que se possa considerar pequeno; basta que se preste atenção à cultura da razão pelo caminho seguro de uma ciência em geral, em comparação com o tatear infundado e o vaguear leviano da ciência sem crítica, ou a um melhor emprego do tempo de uma juventude sequiosa de saber, que no dogmatismo obtém tão precoce e intenso incitamento para raciocinar comodamente sobre coisas das quais nada entende e acerca das quais, por assim dizer, ninguém terá também no mundo alguma perspiciência, ou mesmo ao sair em busca de opiniões e pensamentos novos, e desse modo negligenciar o aprendizado de ciências bem fundadas; ou principalmente que se tenha em conta a inapreciável vantagem de pôr um termo, por todo o tempo futuro e à maneira *socrática*, ou seja pela mais clara prova da ignorância do adversário, a todas as objeções contra a moralidade e a religião. Pois uma ou outra metafísica sempre existiu e continuará a existir no mundo, mas com ela também uma dialética da razão pura, porque lhe é natural encontrá-la aí. Portanto, a primeira e mais importante incumbência da filosofia é que se erradique definitivamente dela toda a influência danosa, pela obstrução da fonte dos erros. [...]

A Crítica não se opõe ao *procedimento dogmático* da razão em seu conhecimento puro enquanto ciência (pois esta tem que ser sempre dogmática, isto é, demonstrativa a partir de princípios seguros a priori), mas ao *dogmatismo*, isto é, à presunção de avançar sozinha em um conhecimento puro a partir de conceitos (o conhecimento filosófico), de acordo com princípios que a razão há tempo usa, sem investigação do modo e do direito com que ela chegou até ele. Logo, o dogmatismo é o procedimento dogmático da razão pura *sem crítica prévia de sua própria faculdade*. Por isso essa oposição não deve pronunciar-se a favor da superficialidade verbosa sob o pretensioso nome de popularidade, ou mesmo do ceticismo, que faz um processo sumário contra toda a metafísica: muito antes, a Crítica é a instituição provisória necessária à promoção de uma metafísica bem fundada, que tem de ser desenvolvida de modo necessariamente dogmático e, de acordo com a exigência mais estrita, de modo sistemático, logo acadêmico (não popular), pois esta exigência feita a ela é indispensável, uma vez que ela se compromete a executar a sua incumbência de modo totalmente a priori, por conseguinte para a plena satisfação da razão especulativa. Portanto, na execução do plano que a Crítica prescreve, isto é, no futuro sistema da metafísica, temos de algum dia seguir o método rigoroso do ilustre Wolff, o maior entre todos os filósofos dogmáticos, que primeiro deu o exemplo (e através desse exemplo foi o fundador do espírito de solidez, até agora ainda não extinto na Alemanha) de como, pela constatação legal dos princípios, clara determinação dos conceitos, buscando rigor das demonstrações, evitando saltos temerários nas conclusões, deve tomar-se o caminho seguro de uma ciência, e que também por isso estava precipuamente apto a colocar nessa posição uma tal ciência como a metafísica, contanto que lhe tivesse ocorrido, mediante uma crítica do órgão, ou seja, da própria razão pura, preparar o seu campo: uma falha de que se deve culpar não tanto a ele quanto à maneira de pensar dogmática da época, e relativamente à qual os filósofos de sua época, como de todas as épocas anteriores, não têm nada a censurar-se reciprocamente. Aqueles que rejeitam o seu método de ensino, e ao mesmo tempo também o procedimento da Crítica da razão pura, não podem ter em mente senão descartar-se dos grilhões da ciência e transformar o trabalho em jogo, a certeza em opinião e a filosofia em filodoxia.

CRÍTICA DA RAZÃO PURA
O conhecimento

A "Introdução" à *Crítica da razão pura* apresenta as questões fundamentais acerca da possibilidade do conhecimento que Kant desenvolve nas seções subsequentes dessa obra: a *Estética*, que trata das formas puras da sensibilidade, espaço e tempo, que nos permitem ter percepções sensíveis sobre objetos do mundo externo; a *Analítica*, que examina a estrutura de nosso entendimento a partir da qual determinamos conceitualmente aquilo que percebemos espaço-temporalmente; e a *Dialética*, que examina os usos da razão em que não obtemos conhecimento.

No texto aqui selecionado, Kant discute as noções tradicionais de *juízo analítico*, que é a priori, isto é, independente da experiência, não possuindo conteúdo informativo, mas apenas explicitando no predicado aquilo que já está contido no sujeito; e de *juízo sintético*, que é a posteriori, isto é, resulta de conhecimentos obtidos pela experiência. Para Kant esta distinção é insuficiente, sendo necessário introduzir os *juízos sintéticos a priori* que, embora vinculados à experiência, não são derivados dela, tendo como conteúdo precisamente as condições de possibilidade da experiência.

> **Da diferença entre o conhecimento puro e o empírico**

De que todo o nosso conhecimento comece com a experiência, não há a mínima dúvida; pois de que outro modo a faculdade de conhecer deveria ser despertada para o exercício, se não ocorresse mediante objetos que impressionam os nossos sentidos e em parte produzem espontaneamente representações, em parte põem em movimento a nossa atividade intelectual de comparar essas representações, conectá-las ou separá-las, e deste modo transformar a matéria bruta das impressões sensíveis em um conhecimento dos objetos, que se chama experiência? *De acordo com o tempo*, portanto, nenhum conhecimento em nós antecede a experiência, e todo ele começa com a experiência.

Mas, ainda que todo o nosso conhecimento comece *com* a experiência, nem por isso todo ele origina-se *da* experiência. Pois poderia perfeitamente ocorrer que mesmo o nosso conhecimento de experiência seja um composto daquilo que recebemos mediante impressões sensíveis e daquilo que a nossa faculdade de conhecer (apenas ensejada por impressões sensíveis) produz a partir de si mesma, cujo acréscimo não distinguimos daquela matéria-prima antes que um longo exercício tenha chamado nossa atenção sobre isso e nos tornado aptos à sua abstração.

É portanto uma questão que requer uma investigação mais pormenorizada e da qual não se pode dar cabo de um momento para outro: se existe semelhante conhecimento, ele é independente da experiência e mesmo de todas as impressões dos sentidos. Denominam-se tais *conhecimentos* de *a priori* e distinguem-se dos *empíricos*, que têm as suas fontes *a posteriori*, ou seja, na experiência.

Todavia aquela expressão não é ainda suficientemente determinada para designar convenientemente o sentido completo da questão apresentada. Pois se costuma dizer, acerca de algum conhecimento derivado de fontes da experiência, que somos capazes ou participantes dele a priori, pois não o derivamos imediatamente da experiência mas de uma regra geral, que nós mesmos, contudo, tomamos de empréstimo à experiência. Assim se diz de alguém que minou as fundações de sua casa: ele podia saber a priori[*] que ela cairia, isto é, ele não precisava esperar da experiência que ela efetivamente caísse. Ainda assim ele não podia saber isso de modo totalmente a priori. Pois o fato de que os corpos são pesados, e por isso caem quanto se lhes tira o apoio, tinha de ser-lhes previamente familiar por experiência.

---

[*]Na quinta edição original: a posteriori.

Logo, no que se segue compreenderemos por conhecimentos a priori não aqueles que se verificam independentemente desta ou daquela experiência, mas aqueles que se verificam de modo *absolutamente* independente de toda a experiência. A eles contrapõem-se os conhecimentos empíricos ou aqueles que são possíveis somente a posteriori, isto é, por experiência. Mas dentre os conhecimentos a priori chama-se *puros* aqueles aos quais não se mistura nada de empírico. Assim, por exemplo, a proposição "toda mudança tem sua causa" é uma proposição a priori, só que não pura, porque mudança é um conceito que só pode ser extraído da experiência.

Estamos na posse de certos conhecimentos a priori, e mesmo o entendimento comum jamais está isento deles

O importante aqui é um traço no qual certamente podemos distinguir um conhecimento puro de um conhecimento empírico. A experiência por certo nos ensina que algo está formado deste ou daquele modo, mas não que não possa sê-lo de outra maneira. Logo, se encontrarmos uma proposição, *em primeiro lugar*, que for pensada simultaneamente com sua *necessidade*, então ela é um juízo a priori: se ela, além disso, não for também derivada de nenhuma que por sua vez seja ela mesma válida como uma proposição necessária, então ela é absolutamente a priori. *Em segundo lugar*: a experiência jamais fornece a seus juízos uma *universalidade* verdadeira ou estrita, mas somente suposta e comparativa (por indução), o que propriamente tem de significar: o quanto percebemos até agora, não se encontra nenhuma exceção a esta ou àquela regra. Portanto, se um juízo for pensado como universalidade estrita, isto é, de modo tal que não conceda nenhuma exceção como possível, então ele não será derivado da experiência, mas válido de modo absolutamente a priori. A generalidade empírica é, pois, apenas uma elevação arbitrária da validade da generalidade, que vale na maioria dos casos, à que vale em todos eles, como por exemplo na proposição: todos os corpos são pesados. Onde, ao contrário, pertence essencialmente a um juízo uma universalidade estrita, neste caso ela aponta para uma fonte de conhecimento peculiar do juízo, a saber, uma faculdade de conhecer a priori. Logo, necessidade e universalidade estrita são características seguras de um conhecimento a priori e pertencem também inseparavelmente uma à outra. Mas porque, no uso desses critérios, é às vezes mais fácil mostrar a sua limitação empírica do que a contingência nos juízos, ou porque às vezes parece mais evidente mostrar a universalidade ilimitada que atribuímos a um juízo do que a sua necessidade, então é mais aconselhável servir-se separadamente de ambos os critérios, cada um dos quais é por si infalível. [...]

Da diferença entre juízos analíticos e sintéticos

Em todos os juízos em que for pensada a relação de um sujeito com o predicado (se considero apenas os juízos afirmativos, pois a aplicação aos negativos torna-se depois fácil), essa relação é possível de dois modos. Ou o predicado B pertence ao sujeito A, como algo que está contido (ocultamente) nesse conceito A; ou B encontra-se totalmente fora do conceito A, ainda que esteja em conexão com ele. No primeiro caso denomino o juízo de *analítico*, no outro de *sintético*. Juízos analíticos (os afirmativos) são portanto aqueles em que a conexão do predicado com o sujeito for pensada por identidade, mas aqueles juízos em que esta conexão não for pensada por identidade devem chamar-se juízos sintéticos. Os primeiros poderiam também chamar-se juízos *elucidativos*, e os segundos juízos *extensivos*, porque esses primeiros não acrescentam pelo predicado nada ao conceito do sujeito, mas apenas dividem o sujeito desmembrando-o em seus conceitos parciais, que já eram pensados nele (se bem que confusamente): enquanto os segundos, ao contrário, acrescentam ao conceito do sujeito um predicado, que de modo nenhum era pensado nesse sujeito, e que não teria podido ser extraído por nenhum desmembramento dele. Por exemplo se eu digo: "todos os corpos são extensos", este é um juízo analítico. Pois não preciso ultrapassar o conceito, que vinculo à palavra "corpo", para encontrar a extensão conectada com ele, mas apenas desmembrar aquele conceito, isto é, apenas tornar-me consciente do múltiplo que encontro sempre nele, para encontrar aí esse predicado; trata-se pois de um juízo analítico. Contrariamente, se digo: "todos os corpos são pesados", então o predicado é algo totalmente diverso do que penso no simples conceito de um corpo em geral. Logo, o acréscimo de um tal predicado fornece um juízo sintético.

Juízos de experiência enquanto tais são todos sintéticos. Pois seria absurdo fundar um juízo analítico sobre a experiência, já que não preciso de modo algum sair de meu conceito para compor o juízo, e portanto não tenho para isso necessidade de nenhum testemunho da experiência. Que um corpo seja extenso, é uma proposição que é certa a priori, e não é nenhum juízo de experiência. Pois antes que eu recorra à experiência, já disponho de todas as condições em meu conceito do qual posso extrair o predicado segundo o princípio de contradição, e desse modo tornar-me ao mesmo tempo consciente da necessidade do juízo, a qual a experiência jamais me ensinaria.

FUNDAMENTAÇÃO DA METAFÍSICA DOS COSTUMES
O imperativo categórico

> Na *Crítica da razão prática* (1788) Kant dá início à elaboração de uma teoria ética fortemente racionalista, em que defende uma moral fundamentada na racionalidade humana, rejeitando as chamadas éticas heterônomas, isto é, aquelas cujo princípio moral é derivado de uma fonte externa, tal como Deus ou O Supremo Bem.
>
> No texto aqui selecionado, da *Fundamentação da metafísica dos costumes* (1785), em que Kant desenvolve sua teoria ética em um sentido mais aplicado, encontramos a formulação clássica do imperativo categórico, o princípio central desta ética, que pode ser caracterizada como uma ética do dever.

❝ Cada coisa da natureza opera segundo leis. Só um ente racional tem a faculdade de agir *segundo a representação* de leis, isto é, segundo princípios, ou uma *vontade*. Visto que para a dedução de ações de leis requer-se *razão*, a vontade não é senão uma razão prática. Se a razão determina inevitavelmente a vontade, então as ações de um tal ente, conhecidas como objetivamente necessárias, são também subjetivamente necessárias, isto é, a vontade é uma faculdade de escolher *somente aquilo* que a razão, independentemente das inclinações, conhece como praticamente necessário, isto é, como bom. Mas se a razão não determina, por si só, suficientemente a vontade, então esta está submetida ainda a condições subjetivas (a certos incentivos), que nem sempre concordam com as condições objetivas; em uma palavra, se a vontade não é *em si* plenamente conforme à razão (como nos homens é efetivamente o caso), então as ações que são conhecidas objetivamente como necessárias são subjetivamente contingentes, e a determinação de uma tal vontade conformemente a leis objetivas é *necessitação* [*Nötigung*], isto é, a relação de leis objetivas com uma vontade não totalmente boa é representada como a determinação da vontade de um ente racional em verdade mediante fundamentos da razão, os quais porém, em decorrência da natureza dessa vontade, não são necessariamente seguidos por ela.

A representação de um princípio objetivo, na medida em que é obrigatória para uma vontade, chama-se um mandamento (da razão), e a fórmula do mandamento chama-se *imperativo*.

Todos os imperativos são expressos por um dever-ser e mostram através dele a relação de uma lei objetiva da razão com uma vontade que, de acordo com sua constituição subjetiva, não é necessariamente determinada por ela (uma necessitação). Eles dizem que seria bom fazer ou deixar de fazer alguma coisa, entretanto o dizem a uma vontade que nem sempre faz algo pelo fato de ser-lhe representado que seja bom fazê-lo. Praticamente *bom*, porém, é algo que determina a vontade mediante as representações da razão, por conseguinte não a partir de causas subjetivas, mas objetivamente, isto é, a partir de fundamentos que são válidos para todo ente racional enquanto tal. Ele distingue-se do *agradável* como algo que tem influência sobre a vontade só por meio da sensação a partir de simples causas subjetivas, que só valem para este ou aquele, e não como princípio da razão que vale para qualquer um.*

Logo, uma vontade perfeitamente boa estaria do mesmo modo submetida a leis objetivas (do bem), mas nem por isso poderia ser representada como *obrigada* a ações conformes a leis, porque ela por si mesma, de acordo com sua constituição subjetiva, somente pode ser determinada pela representação do bem. Por isso para a vontade *divina*, e em geral para uma vontade *santa*, não vale nenhum imperativo; o dever-ser encontra-se aqui no lugar errado, porque o *querer* já por si mesmo concorda necessariamente com a lei. Por isso imperativos são somente fórmulas para expressar a relação de leis objetivas do querer em geral com a imperfeição subjetiva da vontade deste ou daquele ente, isto é, da vontade humana.

Ora, todos os *imperativos* ordenam ou de modo *hipotético* ou *categórico*. Os hipotéticos representam a necessidade prática de conseguir uma ação possível como meio para algo diverso que se quer (ou que, enfim, possivelmente se queira). O imperativo categórico seria aquele que representa uma ação como objetivamente necessária por si mesma, sem relação com um outro fim.

Visto que toda lei prática representa uma ação possível como boa, e por isso como necessária para um sujeito determinável praticamente pela razão, todos os imperativos são fórmulas da determinação da ação, que é necessária segundo o princípio de uma vontade de algum modo boa. Ora, se a ação for boa meramente como meio para *alguma outra coisa*, então o imperativo é *hipotético*; se

---

* A dependência da faculdade de apetição de sensações chama-se inclinação, e esta portanto prova sempre uma *carência*; mas a dependência de uma vontade — contingentemente determinável — de princípios da razão chama-se *interesse*. Portanto este só se encontra em uma vontade dependente, que não é sempre por si conforme à razão; na vontade divina não se pode conceber nenhum interesse. Mas a vontade humana pode, por sua vez, *tomar interesse* por algo, sem, em virtude disso, *agir por interesse*. O primeiro caso significa o interesse *prático* na ação, o segundo o interesse *patológico* no objeto da ação. O primeiro mostra somente uma dependência da vontade de princípios da razão em si mesma, o segundo a dependência de princípios da vontade em vista da inclinação, já que então a razão fornece apenas a regra prática de como remediar a carência da inclinação. No primeiro caso interessa-me a ação, no segundo o objeto da ação (na medida em que me é agradável). Vimos, na primeira seção, que em uma ação por dever não se tem que prestar atenção no objeto, mas só na própria ação e em seu princípio na razão (na lei).

for representada como *em si* boa, por conseguinte como necessária em uma vontade em si conforme à razão, como princípio da vontade, então ele é *categórico*.

Logo, o imperativo diz que ação possível através de mim seria boa, e representa a regra prática em relação com uma vontade que não executa imediatamente uma ação por ela ser boa, em parte porque o sujeito nem sempre sabe que ela é boa, em parte porque, ainda que o soubesse, as máximas do sujeito poderiam contudo opor-se aos princípios objetivos de uma razão prática.

Portanto, o imperativo hipotético diz somente que a ação é boa para algum objetivo qualquer, *possível* ou *efetivo*. No primeiro caso, ele é um princípio *problematicamente* prático; no segundo, um princípio *assertoricamente* prático. O imperativo categórico, que declara a ação por si como objetivamente necessária, sem relação com qualquer objetivo, isto é, também sem qualquer outro fim, vale como princípio *apoditicamente* prático.

Pode-se conceber o que somente é possível mediante forças de qualquer ente racional como um objetivo possível também para qualquer vontade, e por isso os princípios da ação, na medida em que for representada como necessária para atingir um objetivo qualquer possível por esse meio, são de fato em número infinito. Todas as ciências têm alguma parte prática qualquer que consiste em problemas [que supõem] que um fim qualquer seja possível a nós, e de imperativos de como ele possa ser alcançado. Por isso, estes podem ser chamados em geral de imperativos da *habilidade*. O problema aqui não é de modo algum se o fim é racional e bom, mas somente o que se tem de fazer para alcançá-lo. As prescrições para o médico curar radicalmente uma pessoa e para um envenenador seguramente matá-la são de mesmo valor, na medida em que cada uma serve para alcançar perfeitamente o seu objetivo. Pelo fato de que na infância não se sabe com que fins precisaríamos deparar-nos na vida, os pais procuram deixar seus filhos aprender uma *variedade de coisas* e zelam pela *habilidade* no uso dos meios para toda sorte de fins *arbitrários*, para nenhum dos quais podem determinar se ele por acaso pode efetivamente tornar-se no futuro um objetivo de seu educando, a cujo respeito é entretanto *possível* que ele algum dia viesse a tê-los, e esta preocupação é tão grande que os pais habitualmente se descuidam de formar e corrigir o seu juízo sobre o valor das coisas que eles porventura quisessem tomar por fins.

Existe todavia *um* fim que se pode pressupor como efetivo em todos os entes racionais (desde que os imperativos se adaptem a eles, a saber, enquanto entes dependentes), e portanto um objetivo que eles não apenas por acaso *possam* ter, mas acerca do qual se pode pressupor com certeza que todos o *têm* com base numa necessidade natural, e este é o objetivo da *felicidade*. O imperativo hipotético, que representa a necessidade prática da ação como meio para a promoção da felicidade, é *assertórico*. Não se pode apresentá-lo simplesmente como necessário para um objetivo incerto, meramente possível, mas para um objetivo que se pode pressupor com certeza e a priori em todo homem, porque ele pertence à sua essência. Ora, pode-se chamar a habilidade, na escolha dos meios para o seu máximo bem-estar próprio, de *prudência**, no sentido mais estrito. Portanto, o imperativo que se refere à escolha dos meios para a felicidade própria, isto é, o preceito da prudência, é sempre ainda *hipotético*: a ação não é ordenada absolutamente, mas apenas como meio para um outro objetivo.

Finalmente há um imperativo que, sem pôr no fundamento como condição qualquer outro objetivo a ser alcançado mediante uma certa conduta, ordena imediatamente essa conduta. Este imperativo é *categórico*. Ele não diz respeito à matéria da ação e ao que deve seguir-se dela, mas à forma e ao princípio do qual ela mesma decorre, e o essencialmente bom da ação consiste na disposição [*Gesinnung*], seja qual for o seu resultado. Este imperativo pode chamar-se de imperativo da *moralidade*. [...]

O imperativo categórico é pois um só, e em verdade este: *age somente de acordo com aquela máxima, pela qual possas ao mesmo tempo querer que ela se torne uma lei universal.*

Ora, se desse imperativo único podem deduzir-se, como a partir de seu princípio, todos os imperativos do dever, então, ainda que deixemos em suspenso se aquilo que chamamos de dever não é de modo geral um conceito vazio, pelo menos poderemos indicar o que pensarmos com ele e o que esse conceito quer expressar.

Visto que a universalidade da lei, segundo a qual os efeitos ocorrem, constitui aquilo que propriamente se chama de *natureza* no sentido mais universal (segundo a forma), isto é, a existência das coisas na medida em que é determinada segundo leis universais, assim o imperativo universal do dever poderia também ser do seguinte teor: *age como se a máxima de tua ação devesse tornar-se mediante tua vontade a lei universal da natureza.*

"

---

* A palavra "prudência" é tomada em sentido duplo, uma vez podendo chamar-se de prudência em relação ao mundo, e outra de prudência privada. A primeira é a habilidade de um homem de exercer influência sobre outros para usá-los em vista de seus objetivos. A segunda é a perspiciência de conjugar todos esses objetivos em vista da sua própria vantagem duradoura. Esta última prudência é propriamente aquela à qual até o valor da primeira é reduzido, e quem é prudente à primeira maneira e não à segunda, dele poder-se-ia melhor dizer: ele é esperto e astuto, mas em suma imprudente.

QUESTÕES E TEMAS PARA DISCUSSÃO

A filosofia crítica
1. Qual o sentido de "filosofia crítica" para Kant?
2. Qual a analogia que Kant fez entre a sua filosofia e a "revolução científica"?
3. Como se pode interpretar o conceito de experiência, segundo Kant?

O conhecimento
4. Como Kant caracteriza a diferença entre conhecimento puro e empírico na "Introdução" à *Crítica da razão pura*?

O imperativo categórico
5. Qual o objetivo de Kant na *Fundamentação da metafísica dos costumes*?
6. Em que sentido Kant distingue o imperativo categórico do hipotético?
7. Comente o princípio ético kantiano: "Age como se a máxima de tua ação devesse tornar-se, mediante tua vontade, a lei universal da natureza."

LEITURAS SUGERIDAS

Kant
A crítica da razão pura, Lisboa, Calouste Gulbenkian, 1989.
Crítica da razão prática, Lisboa, Edições 70, 1987.
Crítica da faculdade de julgar, Rio de Janeiro, Forense Universitária, 1993.
Ideia de uma história universal de um ponto de vista universitário, São Paulo, Brasiliense, 1986.
Textos seletos, Petrópolis, Vozes, 1974.

Sobre Kant:
Kant e o fim da metafísica, de Gerárd Lebrun, São Paulo, Martins Fontes, 1993.
O pensamento de Kant, de George Pascal, Petrópolis, Vozes, 1977.
Kant em 90 minutos, de Paul Strathern, Rio de Janeiro, Zahar, 1998.
Kant, uma revolução filosófica, de Michèle Crampe-Casnabet, Rio de Janeiro, Zahar, 1994.
Dicionário Kant, de Howard Caygill, Rio de Janeiro, Zahar, 2000.

HEGEL

Georg Wilhelm Friedrich Hegel (1770-1831) pode ser considerado o filósofo alemão mais influente do séc. XIX. Tendo inicialmente estudado teologia em Tübingen, Hegel desistiu de tornar-se pastor protestante, passando a dedicar-se à filosofia. Foi professor nas universidades de Iena e Heidelberg e, mais tarde, em Berlim, de cuja universidade tornou-se reitor. Teve nesse período um grande prestígio intelectual na Prússia, então na vanguarda política e cultural dos estados alemães, no processo que levaria à formação do Império Alemão algumas décadas mais tarde.

O ponto de partida de Hegel consiste em uma crítica à tradição racionalista, notadamente a Kant, cuja filosofia considera excessivamente formalista e demasiadamente inspirada no ideal científico de conhecimento. Ao mesmo tempo rejeita a alternativa dos românticos, que considera irracionalista devido à sua inspiração na intuição e nos sentimentos.

Para Hegel, a filosofia deve examinar a consciência como resultado de um processo de formação, mas também de seu lugar na história, já que é formada pela cultura a que pertence. Na *Fenomenologia do espírito* (1806-7), cujo subtítulo é precisamente "A ciência da experiência da consciência", Hegel analisa as etapas desse processo.

A obra de Hegel é fortemente sistemática, procurando dar conta dos múltiplos aspectos do saber humano em sua busca da verdade e em sua direção ao Absoluto, o que constitui em última análise sua finalidade. A *Enciclopédia das ciências filosóficas* (1817) contém uma síntese de seu projeto, enquanto a *Ciência da lógica* (1812-16) é, na verdade, um tratado de ontologia, já que se trata da lógica do ser; as *Lições de filosofia das história* revelam a importância da consideração dos vários sistemas filosóficos em seu desenvolvimento histórico, tomando cada um deles como uma contribuição à constituição do saber, e Hegel teria visto o seu próprio sistema como o coroamento desse processo. A ênfase de Hegel na história, como um processo dotado de um sentido e uma direção que se revelam à interpretação filosófica, faz dele o primeiro grande filósofo da história no período moderno, influenciando fortemente a teoria da história subsequente.

FENOMENOLOGIA DO ESPÍRITO
A dialética do senhor e do escravo

> O texto aqui selecionado é considerado uma das passagens mais centrais da *Fenomenologia do espírito*. Contém uma análise dialética do processo de formação da consciência como determinado pela relação com o outro — visando impor-se ao outro como sujeito, mas, ao mesmo tempo, pressupondo o reconhecimento de sua própria identidade pelo outro, que considera assim esta consciência com que se relaciona, por sua vez, como objeto. A relação entre duas consciências é, portanto, uma relação entre duas subjetividades, mas que se visam mutuamente como objeto; trata-se da luta de "vida ou morte" (§187) que, segundo Hegel, as consciências travam entre si.
>
> A metáfora da relação entre o senhor e o escravo, entre aquele que submete e o que é submetido, procura mostrar no entanto como, dialeticamente, os papéis acabam por se inverter, já que o senhor também precisa ser reconhecido como tal pelo escravo. Trata-se de uma poderosa imagem não só do processo de constituição da consciência, mas também das relações sociais na escravidão e de suas consequências morais; ou seja, de como o processo de submissão acaba por degradar também aquele que procura submeter o outro.

178. A consciência-de-si é em si e para si quando e porque é em si e para si para uma Outra; quer dizer, só é como algo reconhecido. O conceito dessa sua unidade em sua duplicação, [ou] da infinitude que se realiza na consciência-de-si, é um entrelaçamento multilateral e polissêmico. Assim seus momentos devem, de uma parte, ser mantidos rigorosamente separados, e de outra parte, nessa diferença, devem ser tomados ao mesmo tempo como não diferentes, ou seja, devem sempre ser tomados e reconhecidos em sua significação oposta.

O duplo sentido do diferente reside na [própria] essência da consciência-de-si: [pois tem a essência] de ser infinita, ou de ser imediatamente o contrário da determinidade na qual foi posta. O desdobramento do conceito dessa unidade espiritual, em sua duplicação, nos apresenta o movimento do reconhecimento.

179. Para a consciência-de-si há uma outra consciência-de-si [ou seja]: ela veio para fora de si. Isso tem dupla significação: primeiro, ela se perdeu a si mesma, pois se acha numa outra essência. Segundo, com isso ela suprassumiu o Outro, pois não vê o Outro como essência, mas é a si mesma que vê no Outro.

180. A consciência-de-si tem de suprassumir esse seu ser-Outro. Esse é o suprassumir do primeiro sentido duplo, e por isso mesmo, um segundo sentido duplo: primeiro, deve proceder a suprassumir a outra essência independente, para assim vir-a-ser a certeza de si como essência; segundo, deve proceder a suprassumir a si mesma, pois ela mesma é esse Outro.

181. Esse suprassumir de sentido duplo do seu ser-Outro de duplo sentido é também um retorno, de duplo sentido, a si mesma; portanto, em primeiro lugar a consciência retoma de si mesma mediante esse suprassumir, pois se torna de novo igual a si mesma mediante esse suprassumir do seu ser-Outro; segundo, restitui também a ela mesma a outra consciência-de-si, já que era para si no Outro. Suprassume esse seu ser no Outro, e deixa o Outro livre, de novo.

182. Mas esse movimento da consciência-de-si em relação a uma outra consciência-de-si se representa, desse modo, como o agir de uma (delas). Porém esse agir de uma tem o duplo sentido de ser tanto o seu agir como o agir da outra; pois a outra é também independente, encerrada em si mesma, nada há nela que não seja mediante ela mesma.

A primeira consciência-de-si não tem diante de si o objeto, como inicialmente é só para o desejo; o que tem é um objeto independente, para si essente, sobre o qual portanto nada pode fazer para si, se o objeto não fizer em si o mesmo que ela nele faz. O movimento é assim, pura e simplesmente, o duplo movimento das duas consciências-de-si. Cada uma vê a outra fazer o que ela faz; cada uma faz o que da outra exige — portanto faz somente enquanto a outra faz o mesmo. O agir unilateral seria inútil; pois, o que deve acontecer, só pode efetuar-se através de ambas as consciências.

183. Por conseguinte, o agir tem duplo sentido, não só enquanto é agir quer sobre si mesmo, quer sobre o Outro, mas também enquanto indivisamente é o agir tanto de um quanto de Outro.

184. Vemos repetir-se, nesse movimento, o processo que se apresentava como jogo de forças; mas [agora] na consciência. O que naquele [jogo de forças] era para nós, aqui é para os extremos mesmos. O meio-termo é a consciência-de-si que se decompõe nos extremos; e cada extremo é essa troca de sua determinidade, e passagem absoluta para o oposto.

Como porém é consciência, cada extremo vem mesmo para fora de si; todavia ao mesmo tempo, em seu ser-fora-de-si, é retido em si; e seu ser-fora-de-si é para ele. É para ele que imediatamente é e não é outra consciência; e também que esse Outro só é para si quando se suprassume como para-si-essente; e só é para si no ser para-si do Outro. Cada extremo é para o Outro o meio-termo, mediante o qual é consigo mesmo mediatizado e concluído; cada um é para si e para o Outro, essência imediata para si essente; que ao mesmo tempo só é para si através dessa mediação. Eles se reconhecem como reconhecendo-se reciprocamente.

185. Consideremos agora este puro conceito do reconhecimento, a duplicação da consciência-de-si em sua unidade, tal como seu processo se manifesta para a consciência-de-si. Esse processo vai apresentar primeiro o lado da desigualdade de ambas [as consciências-de-si] ou o extravasar-se do meio-termo nos extremos, os quais, como extremos, são opostos um ao outro; um extremo é só o que é reconhecido; o outro, só o que reconhece.

186. De início, a consciência-de-si é ser-para-si simples, igual a si mesma mediante o excluir de si todo o outro. Para ela, sua essência e objeto absoluto é o Eu; e nessa imediatez ou nesse ser de seu ser para-si é [um] singular. O que é Outro para ela está, como objeto inessencial, marcado com o sinal do negativo. Mas o Outro é também uma consciência-de-si; um indivíduo se confronta com outro indivíduo. Surgindo assim imediatamente, os indivíduos são um para outro, à maneira de objetos comuns, figuras independentes, consciências imersas no ser da vida — pois o objeto essente aqui se determinou como vida. São consciências que ainda não levaram a cabo, uma para a outra, o movimento da abstração absoluta, que consiste em extirpar todo ser imediato, para ser apenas o puro ser negativo da consciência igual-a-si-mesma. Quer dizer: essas consciências ainda não se apresentaram, uma para a outra, como puro ser-para-si, ou seja, como consciências-de-si. Sem dúvida, cada uma está certa de si mesma, mas não da outra; e assim sua própria certeza de si não tem verdade nenhuma, pois sua verdade só seria se seu próprio ser-para-si lhe fosse apresentado como objeto independente ou, o que é o mesmo, o objeto [fosse apresentado] como essa pura certeza de si mesmo. Mas, de acordo com o conceito do reconhecimento, isso não é possível a não ser que cada um leve a cabo essa pura abstração do ser-para-si: ele para o outro, o outro para ele; cada um em si mesmo, mediante seu próprio agir, e de novo, mediante o agir do outro.

187. Porém a apresentação de si como pura abstração da consciência-de-si consiste em mostrar-se como pura negação de sua maneira de ser objetiva, ou em mostrar que não está vinculado a nenhum ser-aí determinado, nem à singularidade universal do ser-aí em geral, nem à vida.

Esta apresentação é o agir duplicado: o agir do Outro e o agir por meio de si mesmo. Enquanto agir do Outro, cada um tende, pois, à morte do Outro. Mas aí está também presente o segundo agir, o agir por meio de si mesmo, pois aquele agir do Outro inclui o arriscar a própria vida. Portanto, a relação das duas consciências-de-si é determinada de tal modo que elas se provam a si mesmas e uma à outra através de uma luta de vida ou morte.

Devem travar essa luta, porque precisam elevar à verdade, no Outro e nelas mesmas, sua certeza de ser-para-si. Só mediante o pôr a vida em risco, a liberdade [se conquista]; e se prova que a essência da consciência-de-si não é o ser, nem o modo imediato como ela surge, nem o seu submergir-se na expansão da vida; mas que nada há na consciência-de-si que não seja para ela momento evanescente; que ela é somente puro ser-para-si. O indivíduo que não arriscou a vida pode bem ser reconhecido como pessoa; mas não alcançou a verdade desse reconhecimento como uma consciência-de-si independente. Assim como arrisca sua vida, cada um deve igualmente tender à morte do outro; pois para ele o Outro não vale mais que ele próprio. Sua essência se lhe apresenta como um Outro, está fora dele; deve suprassumir seu ser-fora-de-si. O Outro é uma consciência essente e de muitos modos enredada; a consciência-de-si deve intuir seu ser-Outro como puro ser para-si, ou como negação absoluta.

188. Entretanto, essa comprovação por meio da morte suprassume justamente a verdade que dela deveria resultar, e com isso também [suprassume] a certeza de si mesmo em geral. Com efeito, como a vida é a posição natural da consciência, a independência sem a absoluta negatividade, assim a morte é a negação natural desta mesma consciência, a negação sem a independência, que assim fica privada da significação pretendida do reconhecimento.

Mediante a morte, sem dúvida, veio-a-ser a certeza de que ambos arriscavam sua vida e a desprezavam cada um em si e no Outro; mas essa [certeza] não é para os que travam essa luta. Suprassumem sua consciência posta nesta essencialidade alheia, que é o ser aí natural, ou [seja], suprassumem a si mesmos, e vêm-a-ser suprassumidos como os extremos que querem ser para si. Desvanece porém com isso igualmente o momento essencial nesse jogo de trocas: o momento de se decompor em extremos de determinidades opostas; e o meio-termo coincide com uma unidade morta, que se decompõe em extremos mortos, não opostos, e apenas essentes. Os dois extremos não se dão nem se recebem de volta, um ao outro reciprocamente, através da consciência; mas deixam um ao outro indiferentemente livres, como coisas. Sua operação é a negação abstrata, não a negação da consciência, que suprassume de tal modo que guarda e mantém o suprassumido e com isso sobrevive a seu vir-a-ser-suprassumido.

189. Nessa experiência, vem-a-ser para a consciência-de-si que a vida lhe é tão essencial quanto a pura consciência-de-si. Na consciência-de-si imediata, o Eu simples é o objeto absoluto; que no entanto para nós ou em si é a mediação absoluta, e tem por momento essencial a independência subsistente.

A dissolução daquela unidade simples é o resultado da primeira experiência; mediante essa experiência se põem uma pura consciência-de-si, e uma consciência que não é puramente para si, mas para um outro, isto é, como consciência essente, ou consciência na figura da coisidade. São essenciais ambos os momentos; porém como, de início, são desiguais e opostos, e ainda não resultou sua reflexão na unidade, assim os dois momentos são como duas figuras opostas da consciência: uma, a consciência independente para a qual o ser-para-si é a essência: outra, a consciência dependente para a qual a essência é a vida, ou o ser para um Outro. Uma é o senhor, outra é o escravo.

190. O senhor é a consciência para si essente, mas já não é apenas o conceito dessa consciência, senão uma consciência para si essente que é mediatizada consigo por meio de uma outra consciência, a saber, por meio de uma consciência a cuja essência pertence ser sintetizada com um ser independente, ou com a coisidade em geral. O senhor se relaciona com estes dois momentos: com uma coisa como tal, o objeto do desejo, e com a consciência para a qual a coisidade é o essencial. Portanto, o senhor:

a) como conceito da consciência-de-si é relação imediata do ser-para-si; mas,

b) ao mesmo tempo como mediação, ou como um ser-para-si que só é para si mediante um Outro, se relaciona

a') imediatamente com os dois momentos; e

b') mediatamente, com cada um por meio do outro.

O senhor se relaciona mediatamente com o escravo por meio do ser independente, pois justamente ali o escravo está retido; essa é sua cadeia, da qual não podia abstrair-se na luta, e por isso se mostrou dependente, por ter sua independência na coisidade. O senhor, porém, é a potência sobre esse ser, pois mostrou na luta que tal ser só vale para ele como um negativo. O senhor é a potência que está por cima desse ser; ora, esse ser é a potência que está sobre o Outro; logo, o senhor tem esse Outro por baixo de si: é este o silogismo [da dominação].

O senhor também se relaciona mediatamente por meio do escravo com a coisa; o escravo, enquanto consciência-de-si em geral, se relaciona também negativamente com a coisa, e a suprassume. Porém, ao mesmo tempo, a coisa é independente para ele, que não pode portanto, através do seu negar, acabar com ela até a aniquilação; ou seja, o escravo somente a trabalha. Ao contrário, para o senhor, através dessa mediação, a relação imediata vem-a-ser como a pura negação da coisa, ou como gozo — o qual lhe consegue o que o desejo não conseguia: acabar com a coisa, e aquietar-se no gozo. O desejo não o conseguia por causa da independência da coisa; mas o senhor introduziu o escravo entre ele e a coisa, e assim se conclui somente com a dependência da coisa, e puramente a goza; enquanto o lado da independência deixa-o ao escravo, que a trabalha.

191. Nesses dois momentos vem-a-ser para o senhor o seu Ser-reconhecido mediante uma outra consciência [a do escravo]. Com efeito, essa se põe como inessencial em ambos os momentos; uma vez na elaboração da coisa, e outra vez, na dependência para com um determinado ser-aí; dois momentos em que não pode assenhorar-se do ser, nem alcançar a negação absoluta. Portanto, está aqui presente o momento do reconhecimento no qual a outra consciência se suprassume como ser-para-si, e assim faz o mesmo que a primeira faz em relação a ela. Também está presente o outro momento, em que o agir da segunda consciência é o próprio agir da primeira, pois o que o escravo faz é justamente o agir do senhor, para o qual somente é o ser-para-si, a essência: ele é a pura potência negativa para a qual a coisa é nada, e é também o puro agir essencial nessa relação. O agir do escravo não é um agir puro, mas um agir inessencial.

Mas, para o reconhecimento propriamente dito, falta o momento em que o senhor opera sobre o outro o que o outro opera sobre si mesmo; e o escravo faz sobre si o que também faz sobre o Outro. Portanto, o que se efetuou foi um reconhecimento unilateral e desigual.

192. A consciência inessencial é, nesse reconhecimento, para o senhor o objeto que constitui a verdade da certeza de si mesmo. Claro que esse objeto não corresponde ao seu conceito; é claro, ao contrário, que ali onde o senhor se realizou plenamente, tornou-se para ele algo totalmente diverso de uma consciência independente; para ele, não é uma tal consciência, mas uma consciência dependente.

Assim, o senhor não está certo do ser-para-si como verdade; mas sua verdade é de fato a consciência inessencial e o agir inessencial dessa consciência.

193. A verdade da consciência independente é por conseguinte a consciência escrava. Sem dúvida, esta aparece de início fora de si, e não como a verdade da consciência-de-si. Mas, como a dominação mostrava ser em sua essência o inverso do que pretendia ser, assim também a escravidão, ao realizar-se cabalmente, vai tornar-se, de fato, o contrário do que é imediatamente; entrará em si como consciência recalcada sobre si mesma e se converterá em verdadeira independência.

194. Vimos somente o que a escravidão é no comportamento da dominação. Mas a consciência escrava é consciência-de-si, e importa considerar agora o que é em si e para si mesma. Primeiro, para a consciência escrava, o senhor é a essência; portanto, a consciência independente para si essente é para ela a verdade; contudo para ela [a verdade] ainda não está nela, muito embora tenha de fato nela mesma essa verdade da pura negatividade e do ser-para-si; pois experimentou nela essa essência. Essa consciência sentiu a angústia, não por isto ou aquilo, não por este ou aquele instante, mas sim através de sua essência toda, pois sentiu o medo da morte, do senhor absoluto. Aí se dissolveu interiormente; em si mesma tremeu em sua totalidade; e tudo que havia de fixo, nela vacilou.

Entretanto, esse movimento universal puro, o fluidificar-se absoluto de todo o subsistir, é a essência simples da consciência-de-si, a negatividade absoluta, o puro ser-para-si, que assim é nessa consciência. É também para ela esse momento do puro ser-para-si, pois é seu objeto no senhor. Aliás, aquela consciência não é só essa universal dissolução em geral, mas ela se implementa efetivamente no servir. Servindo, suprassume em todos os momentos sua aderência ao ser-aí natural; e, trabalhando-o, o elimina.

195. Mas o sentimento da potência absoluta em geral, e em particular o do serviço, é apenas a dissolução em si; e embora o temor do senhor seja, sem dúvida, o início da sabedoria, a consciência aí é para ela mesma, mas não é o ser-para-si; porém encontra-se a si mesma por meio do trabalho. No momento que corresponde ao desejo na consciência do senhor, parecia caber à consciência escrava o lado da relação inessencial para com a coisa, porquanto ali a coisa mantém sua independência. O desejo se reservou o puro negar do objeto e por isso o sentimento-de-si-mesmo, sem mescla. Mas essa satisfação é pelo mesmo motivo, apenas um evanescente, já que lhe falta o lado objetivo ou o subsistir. O trabalho, ao contrário, é desejo refreado, um desvanecer contido, ou seja, o trabalho forma. A relação negativa para com o objeto torna-se a forma do mesmo e algo permanente, porque justamente o objeto tem independência para o trabalhador. Esse meio-termo negativo ou agir formativo é, ao mesmo tempo, a singularidade, ou o puro ser-para-si da consciência, que agora no trabalho se transfere para fora de si no elemento do permanecer; a consciência trabalhadora, portanto, chega assim à intuição do ser independente, como [intuição] de si mesma.

196. No entanto, o formar não tem só este significado positivo, segundo o qual a consciência escrava se torna para si um essente como puro ser-para-si. Tem também um significado negativo frente a seu primeiro momento, o medo. Com efeito: no formar da coisa, torna-se objeto para o escravo sua própria negatividade, seu ser-para-si, somente porque ele suprassume a forma essente oposta. Mas esse negativo objetivo é justamente a essência alheia ante a qual ele tinha tremido. Agora, porém, o escravo destrói esse negativo alheio, e se põe, como tal negativo, no elemento do permanecer; e assim se torna, para si mesmo, um para-si-essente.

No senhor, o ser-para-si é para o escravo um Outro, ou seja, é somente para ele. No medo, o ser-para-si está nele mesmo. No formar, o ser-para-si se torna para ele como o seu próprio, e assim chega à consciência de ser ele mesmo em si e para si.

A forma não se torna um outro que a consciência pelo fato de se ter exteriorizado, pois justamente essa forma é seu puro ser-para-si, que nessa exteriorização, vem-a-ser sua verdade. Assim, precisamente no trabalho, onde parecia ser apenas um sentido alheio, a consciência, mediante esse reencontrar-se de si por si mesma, vem-a-ser sentido próprio.

Para que haja tal reflexão são necessários os dois momentos: o momento do medo e do serviço em geral, e também o momento do formar, e ambos ao mesmo tempo de uma maneira universal. Sem a disciplina do serviço e da obediência, o medo fica no formal, e não se estende sobre toda a efetividade consciente do ser-aí. Sem o formar, permanece o medo como interior e mudo, e a consciência não vem-a-ser para ela mesma. Se a consciência se formar sem esse medo absoluto primordial, então será apenas um sentido próprio vazio; pois sua forma ou negatividade não é a negatividade em si, e seu formar, portanto, não lhe pode dar a consciência de si como essência.

Se não suportou o medo absoluto, mas somente alguma angústia, a essência negativa ficou sendo para ela algo exterior: sua substância não foi integralmente contaminada por ela. Enquanto todos os conteúdos de sua consciência natural não forem abalados, essa consciência pertence ainda, em si, ao ser determinado. O sentido próprio é obstinação [*eigene Sinn = Eigensinn*], uma liberdade que ainda permanece no interior da escravidão. Como nesse caso a pura forma não pode tornar-se essência, assim também essa forma, considerada como expansão para além do singular, não pode ser um formar universal, conceito absoluto; mas apenas uma habilidade que domina uma certa coisa, mas não domina a potência universal e a essência objetiva em sua totalidade.

QUESTÕES E TEMAS PARA DISCUSSÃO

1. Em que sentido devemos entender a tese hegeliana de que a consciência resulta de um processo de formação?
2. Qual o propósito central de Hegel com a imagem do "senhor e do escravo"?
3. Como se pode interpretar os papéis do "senhor" e do "escravo"?
4. Por que a constituição da consciência depende de seu reconhecimento pelo outro e como se dá esse processo?

5. Em que medida, para Hegel, esse processo é dialético? Como podemos entender neste texto a dialética hegeliana?
6. Como o escravo pode superar sua condição de submisso?

LEITURAS SUGERIDAS

Hegel
A fenomenologia do espírito, Petrópolis, Vozes, 1996.
Filosofia da história, Brasília, Editora Universidade de Brasília, 1995.

Sobre Hegel:
Hegel: Estado, liberdade e política, de Tadeu Weber, Petrópolis, Vozes, 1993.
Hegel, de François Châtelet, Rio de Janeiro, Zahar, 1995.
Hegel em 90 minutos, de Paul Strathern, Rio de Janeiro, Zahar, 1998.
Dicionário Hegel, de Michael Inwood, Rio de Janeiro, Zahar, 1997.

MARX E ENGELS

Karl Marx (1818-83) foi um dos filósofos do séc. XIX mais fortemente influenciados por Hegel, ainda que viesse a dizer que seu objetivo era virar o sistema de Hegel de "cabeça para baixo". Marx não deve ser considerado estritamente apenas um filósofo na acepção tradicional, mas um pensador que visava superar os limites excessivamente estreitos da filosofia, e a filosofia a ser superada era especificamente a de Hegel, com sua herança do Iluminismo e do racionalismo do séc. XVIII. É este o sentido da famosa *XI Tese sobre Feuerbach*, segundo a qual "os filósofos sempre se dedicaram apenas a interpretar a realidade de diversas formas; é preciso agora transformá-la". Marx via portanto seu projeto não apenas como teórico, mas sobretudo como revolucionário. Embora sua formação fosse filosófica, já que se doutorou em filosofia, sua obra é bastante diversificada — exatamente no sentido do esforço de superar as limitações de um pensamento idealista, avançando através de um conhecimento das condições concretas da existência humana e de uma análise crítica da base material da sociedade, isto é, de seu modo de produção, contribuindo assim para a transformação da sociedade e a libertação do ser humano. Esse processo de libertação só será possível por uma mudança revolucionária e não pelo saber, pela educação ou pelo apelo a valores essenciais da natureza humana, como queriam os filósofos da tradição de Locke e Rousseau a Kant e Hegel.

A obra de Marx inclui portanto não só a filosofia, mas a história, a ciência política e a economia; além de manifestos políticos e artigos em jornais que formam parte de sua militância política.

Friedrich Engels (1820-95) foi o colaborador mais próximo de Marx, sendo que, com frequência, em alguns textos escritos em conjunto, é difícil distinguir as ideias que pertencem a cada um.

A IDEOLOGIA ALEMÃ
A crítica à ideologia

> A *ideologia alemã* foi escrita nos anos 1845-46, logo após o início da colaboração entre Marx e Engels, tendo sido publicada apenas postumamente. Nessa obra, Marx e Engels formulam uma crítica direta ao idealismo, segundo eles, dominante na filosofia sobretudo nos assim chamados "hegelianos de esquerda" (seguidores de Hegel que se propunham desenvolver uma filosofia libertária e crítica da dominação religiosa e política). De acordo com a análise da *Ideologia alemã*, entretanto, essa crítica fracassa pois não vai à raiz dos problemas, já que não empreende uma análise histórica e econômica da realidade social que gera a dominação — caracterizando-se como uma crítica meramente ideológica. A ideologia é vista, portanto, nesse texto, como uma "falsa consciência", incapaz de dar conta da realidade em sua dimensão mais profunda e com isso, em última análise, contribuindo para as formas de dominação.

      Até hoje os homens têm criado para si, constantemente, concepções falsas sobre si mesmos, sobre o que eles são e o que devem ser. Organizaram as relações humanas de acordo com suas ideias de Deus, de homem normal etc. Os fantasmas de seus cérebros tornaram-se seus senhores. Eles, os criadores, curvaram-se diante das criaturas. Vamos libertá-los das quimeras, das ideias, dogmas, seres imaginários, sob o jugo dos quais estão definhando. Façamos rebelião contra o governo dos pensamentos. Vamos ensinar os homens a trocar tais imaginações por pensamentos que correspondam à essência humana, diz alguém; a assumir uma atitude crítica diante das imaginações, diz um outro; a expulsá-las de suas cabeças, diz o terceiro; e... a realidade existente vai desmoronar.

      Essas fantasias inocentes e infantis são o germe da filosofia jovem-hegeliana, que não só está sendo recebida pelo público alemão com assombro e reverência, mas também é anunciada por nossos heróis filosóficos com a consciência solene de seus perigos de cataclisma e de sua brutalidade criminosa. O primeiro volume da presente publicação tem o objetivo de desmascarar essas ovelhas, que se consideram e são consideradas lobos, mostrando como seus balidos consistem meramente numa imitação, em forma filosófica, das concepções da classe média alemã. Assim, mostra-se também como as bazófias desses comentadores de filosofia espelham apenas os infortúnios das reais condições de vida na Alemanha. O objetivo da publicação é desacreditar as contendas filosóficas com as sombras da realidade, ao gosto da sonhadora e sonolenta nação alemã.

Era uma vez um camarada bem-intencionado a quem ocorreu a ideia de que os homens só se afogavam na água porque estavam possuídos pela noção de gravidade. Se eles conseguissem expulsar tal noção de suas cabeças — por exemplo declarando tratar-se de uma superstição, de uma ideia religiosa —, estariam resguardados de todo e qualquer perigo que a água oferece. Durante toda a sua vida, ele lutou contra a ilusão da gravidade, cujas consequências nocivas eram comprovadas por todas as estatísticas, com novas e inúmeras evidências. Esse camarada honesto era do mesmo tipo dos novos filósofos revolucionários na Alemanha. As premissas de que partimos não são arbitrárias, não se trata de dogmas, mas de premissas reais, cuja abstração só pode ser feita na imaginação. Trata-se dos indivíduos reais, sua atividade e as condições materiais em que vivem, tanto aquelas que eles já encontram existindo, quanto as produzidas em sua atividade. Portanto, tais premissas só podem ser verificadas de um modo puramente empírico.

A primeira premissa de toda história humana é, evidentemente, a existência de indivíduos humanos. Por isso, o primeiro fato a se determinar é a organização corporal desses indivíduos, e em seguida sua relação com o resto da natureza. É claro que não podemos investigar aqui nem a própria natureza física do homem, nem as condições naturais em que ele se encontra — geológicas, oro-hidrográficas, climáticas e assim por diante. A historiografia deve sempre partir dessas bases naturais e sua modificação, no decorrer da história, pela ação do homem.

É possível distinguir os homens dos animais pela consciência, pela religião, ou pelo que quer que seja. Mas eles mesmos começam a se distinguir dos animais logo que principiam a *produzir* seus meios de subsistência, um passo que é condicionado por sua organização corporal. Produzindo seus meios de subsistência, os homens estão produzindo, indiretamente, sua própria vida material.

O modo como os homens produzem seus meios de subsistência depende, em primeiro lugar, da natureza dos meios já existentes que eles encontram e têm de reproduzir. Esse modo de produção não deve ser considerado simplesmente como a reprodução da existência física dos indivíduos. Trata-se sim de uma determinada forma de atividade desses indivíduos, uma determinada forma de dar expressão a suas vidas, um determinado *modo de vida* deles. A maneira como os indivíduos expressam suas vidas é a sua maneira de ser. Assim, o que eles são coincide com sua produção, tanto com *o que* eles produzem, quanto com o modo *como* produzem. A natureza dos indivíduos depende, então, das condições materiais que determinam sua produção.

A produção de ideias, de concepções, de consciência é, a princípio, diretamente entrelaçada com a atividade material e o intercâmbio material dos homens, a linguagem da vida real. Conceber, pensar, os intercâmbios mentais dos homens, nesse ponto, aparece como a emanação direta de seus comportamentos materiais. O mesmo se aplica à produção mental, como se expressa na linguagem da política, das leis, da moralidade, da religião e da metafísica de um povo. Os homens são os produtores de suas concepções, ideias etc. — os homens reais, ativos, conforme são condicionados por um determinado desenvolvimento de suas forças produtivas e do intercâmbio correspondente a essas, até alcançarem suas formas mais elaboradas. A consciência nunca pode ser nada mais do que existência consciente, e a existência dos homens é seu próprio processo de vida. Se os homens e suas circunstâncias aparecem de cabeça para baixo, como numa *câmera obscura*, em todas as ideologias, esse fenômeno surge de seu processo de vida histórico, assim como a inversão dos objetos na retina surge de seu processo de vida físico.

Em contraste direto com a filosofia alemã, que desce do céu para a terra, aqui nós ascendemos da terra para o céu. Isso quer dizer que não partimos do que o homem diz, imagina ou concebe, nem do modo como o homem é descrito em narrativas, pensado, imaginado, concebido, a fim de chegarmos ao homem de carne e osso. Partimos dos homens reais, ativos, e assim, baseados em seu processo real de vida, demonstramos o desenvolvimento dos reflexos e ecos ideológicos desse processo de vida. Desse modo, os fantasmas que se formam nos cérebros humanos são, necessariamente, sublimações de seu processo de vida material, que é verificável empiricamente e fundado em premissas materiais. Portanto, a moralidade, a religião, a metafísica, assim como todo o resto das ideologias e suas formas correspondentes de consciência, não conservam mais o seu semblante de independência. Elas não possuem uma história, um desenvolvimento; são os homens que, desenvolvendo suas produções materiais e seus intercâmbios materiais, alteram junto com tais processos sua existência real, seu pensamento e os produtos de seu pensamento. Não é a vida que se determina pela consciência, mas a consciência que é determinada pela vida. No primeiro método de considerar as coisas, o ponto de partida é a consciência tomada como indivíduo vivo; no segundo, são os próprios indivíduos vivos por si mesmos, como eles são nas suas vidas, e a consciência é considerada unicamente como consciência *deles*.

Esse método de consideração das coisas não é desprovido de premissas. Ele parte das premissas reais e não as abandona em momento algum. Suas premissas são os homens não em qualquer isolamento fantástico ou definição abstrata, mas em seu processo real de desenvolvimento, sob determinadas condições, perceptível empiricamente. Logo que esse processo de vida ativo é descrito, a história deixa de ser uma coleção de fatos mortos, como ela é para os empiristas (eles mesmos ainda abstratos), ou uma atividade imaginária de sujeitos imaginários, como ela é para os idealistas.

Onde a especulação termina — na vida real —, ali começa a ciência real e positiva: a representação da atividade prática, do processo prático de desenvolvimento dos homens. O discurso vazio acerca da consciência se silencia, e o conhecimento real tem de tomar o seu lugar. Quando a realidade é exposta, a filosofia perde seu meio de existência como um ramo independente de atividade. No melhor dos casos, seu lugar pode ser ocupado por um resumo dos resultados mais gerais, as abstrações que despontam na observação do desenvolvimento histórico dos homens. Vistas à parte, separadas da história real, tais abstrações não têm em si mesmas valor algum. Elas podem servir apenas para facilitar a organização do material histórico, para indicar a sequência de seus estratos diferenciados. Mas elas não fornecem de modo algum, como faz a filosofia, uma receita ou esquema para arrumar metodicamente as épocas da história. Pelo contrário, nossas dificuldades só começam quando nos dispomos à observação e ao ordenamento — a exposição real — de nosso material histórico, seja de uma época passada ou do presente. A remoção de tais dificuldades é governada por premissas nas quais é impossível nos determos aqui, e que só se tornarão evidentes por meio do estudo do próprio processo de vida e da atividade dos indivíduos em cada época.

QUESTÕES E TEMAS PARA DISCUSSÃO

1. Qual a importância da história para a análise de Marx e Engels?
2. Como podemos entender, segundo o texto, a noção de ideologia como "falsa consciência", ou distorção da realidade?
3. Qual o teor central da crítica de Marx e Engels à tradição filosófica?
4. Em que sentido o método proposto por Marx e Engels é crítico?
5. Qual o sentido da ênfase na realidade concreta defendida pelo texto?

LEITURAS SUGERIDAS

Marx e Engels
A ideologia alemã, São Paulo, Ciências Humanas, 1979.
Manifesto do partido comunista, Petrópolis, Vozes, 1980.
A miséria da filosofia, São Paulo, Ciências Humanas, 1981.
O capital, Rio de Janeiro, Civilização Brasileira, 1980.

Sobre Marx:
A filosofia de Marx, de Etienne Balibar, Rio de Janeiro, Zahar, 1995.

NIETZSCHE

Friedrich Nietzsche (1844-1900) foi um dos filósofos mais críticos da tradição filosófica racionalista e iluminista, sendo que sua crítica está na raiz do que podemos chamar a "crise da modernidade", tendo influenciado filósofos contemporâneos como Heidegger, Foucault e outros. Nascido em Roecken, na Prússia, Nietzsche estudou em Bonn e em Leipzig, tornando-se professor de filologia clássica na Universidade de Basileia, na Suíça, em 1869. Sua primeira obra importante foi *O nascimento da tragédia* (1871), em que dá início à reinterpretação da filosofia grega em suas origens, considerando-a como ponto de partida do racionalismo que viria a dominar toda a tradição filosófica. Influenciado por Schopenhauer e amigo do compositor Richard Wagner, com quem depois rompeu, Nietzsche formulou uma filosofia que busca ser "afirmativa da vida" e valoriza a vontade. Crítico da moral cristã, em *Além do bem e do mal* (1886) e na *Genealogia da moral* (1887) faz uma análise devastadora da moral tradicional que considera baseada na culpa e no ressentimento.

Nietzsche escreveu frequentemente sob a forma de aforismos e seu estilo poético e fragmentário é parte integrante de sua concepção filosófica antiteórica e assistemática, buscando criar um novo filosofar de caráter libertário e visando superar as formas limitadoras da tradição.

SOBRE A VERDADE E A MENTIRA EM UM SENTIDO "EXTRAMORAL"

> Esse texto, de 1873, é um dos momentos privilegiados em que Nietzsche inicia sua revisão de conceitos tradicionais da filosofia, como o de verdade. Seu objetivo é desmistificar a "verdade", revelando-a como um conceito fabricado, isto é, criado histórica e socialmente. Entretanto, tal conceito tem sua origem ocultada, aparecendo como objetivo, definitivo, científico. Por meio da consideração da linguagem, através da qual conceitos como o de verdade são criados e entram em circulação, pode-se revelar a origem e o caráter metafórico desses conceitos.

❝ Em algum recanto distante do universo espalhado na cintilação de inúmeros sistemas solares, havia certa vez uma estrela onde animais inteligentes inventaram o conhecimento. Foi o minuto mais soberbo e mentiroso da "história universal": mas foi somente um minuto. Após alguns suspiros da natureza a estrela congelou, e os inteligentes animais acabaram morrendo. — Assim alguém poderia inventar uma fábula, e não ilustraria suficientemente de que maneira lamentável, vaga e fugidia, de que maneira vã e gratuita se constitui o intelecto humano dentro da natureza. Houve eternidades nas quais ele não esteve; quando novamente for passado, nada terá existido. Pois para aquele intelecto não há uma missão mais ampla que ultrapasse a vida humana. Mas ele é humano, e somente seu possuidor e produtor pode tomá-lo tão pateticamente, como se os eixos do mundo girassem nele. Mas se pudéssemos entendermo-nos com a mosca, então perceberíamos que ela também paira pelo ar com esse *pathos* e sente voar em si o centro desse mundo. Não há na natureza nada tão condenável e insignificante que, através de um pequeno sopro daquela força do conhecimento, logo não transborde como um odre; e assim como todo carregador quer ter seu admirador, o homem mais orgulhoso, o filósofo, afirma ver por todos os lados os olhos do universo com um telescópio dirigido à sua ação e pensamento.

É notável que o intelecto seja capaz disso, justamente ele, que foi dado apenas como auxílio aos seres mais infelizes, delicados e efêmeros, a fim de mantê-los um minuto na existência, da qual, sem esse suplemento, eles teriam todo motivo para fugir tão rapidamente quanto o filho de Lessing. Aquela altivez ligada ao conhecer e ao sentir, nevoeiro ofuscante pousado sobre os olhos e o sentido dos homens, engana-os portanto sobre o valor da existência na medida em que traz em si mesma a mais lisonjeira avaliação sobre o próprio conhecer. Seu efeito mais geral é o engano — mas mesmo os efeitos mais particulares trazem em si algo do mesmo caráter.

O intelecto, como um meio para a conservação do indivíduo, desenvolve suas forças principais na dissimulação; pois esta é o meio através do qual se conservam os indivíduos mais fracos, menos robustos, aos quais foi negado travar uma luta pela existência com os cornos ou a mordida afiada de uma fera. No ser humano essa arte da dissimulação atinge o seu auge: aqui o engano, a lisonja, mentiras e ilusões, o falar-por-trás, o representar, o viver do brilho alheio, o estar mascarado, a convenção velada, o jogo de cena diante dos outros e de si mesmo, em suma: o constante esvoaçar em torno de *uma* chama de vaidade são tanto a regra e a lei segundo as quais quase nada é mais incompreensível do que o surgimento entre os homens de um impulso honesto e puro para a verdade. Eles estão profundamente mergulhados em ilusões e visões, seus olhos deslizam somente pela superfície das coisas e veem "formas", em lugar nenhum sua sensação leva à verdade, contentando-se em receber estímulos e como que dedilhando um teclado nas costas das coisas. Além disso, durante toda uma vida o homem se deixa enganar à noite, no sonho, sem que jamais seu sentimento moral tenha procurado impedi-lo, enquanto devem existir homens que, com força de vontade, conseguiram parar de roncar. O que, em verdade, sabe o homem sobre si mesmo? Algum dia poderia ele perceber-se inteiramente, exposto como numa vitrine iluminada? A natureza não lhe ocultaria o que há de mais geral, mesmo sobre seu corpo, a fim de desterrá-lo e encerrá-lo, afastado das circunvoluções do intestino, do rápido fluxo da corrente sanguínea, das vibrações complicadas de suas fibras, numa consciência orgulhosa e charlatã? Ela jogou fora a chave: e ai da fatal curiosidade, que gostaria de olhar para fora e longe, através de uma fresta do quarto da consciência, e que agora pressente que o homem repousa sobre o que é impiedoso, ávido, insaciável, assassino, na indiferença de sua ignorância, e como que em sonhos pendurado nas costas de um tigre. De onde, em todo o mundo, surgiria nessa constelação o impulso à verdade!

Na medida em que o indivíduo, em oposição a outros indivíduos, quer conservar-se, num estado natural das coisas ele utiliza o intelecto na maioria das vezes somente para a dissimulação: mas porque ao mesmo tempo o homem, por necessidade e tédio, quer existir social e gregariamente, ele precisa de um tratado de paz e almeja que pelo menos o mais rude *bellum omnium contra omnes* [guerra de todos contra todos] desapareça de seu mundo. Esse tratado de paz implica algo que lembra o primeiro passo daquele enigmático impulso à verdade. Agora é fixado aquilo que a partir de então deve ser "verdade", quer dizer, é inventada uma designação das coisas igualmente válida e obrigatória, e a legislação da linguagem institui também as primeiras leis da verdade: pois surge aqui, pela primeira vez, o contraste entre verdade e mentira. O mentiroso utiliza as denominações válidas, as palavras, para fazer parecer o irreal como real; ele diz, por exemplo: "sou rico", enquanto a designação correta para o seu estado seria justamente "pobre". Ele abusa das convenções estabelecidas através de trocas quaisquer ou mesmo inversões de nomes. Se faz isso de maneira egoísta e prejudicial, a sociedade não mais confiará nele e o excluirá de si. Nisso, os homens não evitam tanto ser enganados quanto serem prejudicados pelo engano: também nesse nível, eles basicamente não odeiam o engano, mas as consequências graves e hostis de certos tipos de engano. É num sentido semelhante e restrito que o homem quer somente a verdade: ele ambiciona as agradáveis consequências da verdade, que conservam a vida; e é indiferente ao conhecimento puro, sem consequências, se indispõe até mesmo de modo hostil às verdades talvez prejudiciais e destrutivas. E além disso: o que fazer com aquelas convenções da linguagem? Serão elas talvez produtos do conhecimento, do sentido de verdade, coincidirão as designações e as coisas? Será a linguagem a expressão adequada de todas as realidades?

Somente através do esquecimento o homem pode chegar a presumir que possui uma "verdade" no grau há pouco designado. Se ele não quer se contentar com a verdade na forma da tautologia, ou seja, com estojos vazios, então comprará eternamente ilusões por verdades. O que é uma palavra? A representação de um estímulo nervoso em sons. Mas concluir sobre um estímulo nervoso uma causa exterior a nós é já o resultado de uma aplicação falsa e injustificada do princípio da razão. Como poderíamos, se só a verdade tivesse sido decisiva na gênese da linguagem, o ponto de vista da certeza nas designações, como poderíamos dizer: a pedra é dura — como se "dura" nos fosse conhecida de outra maneira e não apenas como um estímulo inteiramente subjetivo! Dividimos as coisas de acordo com os sexos, designamos a árvore como feminina, o vegetal como masculino: que transposições arbitrárias! Como nos distanciamos do cânone da certeza! Falamos de uma "cobra": a designação não se refere ao contorcer-se, portanto também poderia convir ao verme. Que delimitações arbitrárias, que preferências unilaterais ora de uma ora de outra qualidade das coisas! As diversas línguas, colocadas lado a lado, mostram que nunca se chega à verdade com as palavras, nunca a uma expressão adequada: pois senão não haveria tantas línguas. A "coisa em si" (seria justamente a verdade pura e sem consequências) é, mesmo para quem forma a língua, completamente incompreensível e não vale absolutamente o esforço para tal. Ele designa somente as relações das coisas para com os homens, e para a sua expressão toma como auxílio as mais audazes metáforas. Um estímulo nervoso, primeiramente transposto numa imagem! Primeira metáfora. A imagem é novamente transformada num som! Segunda metáfora. E a cada vez um salto completo da esfera para dentro de outra completamente diferente e nova. Pode-se imaginar uma pessoa totalmente surda e que nunca experimentou a sensação do som e da música: de como esta se admira, por exemplo, com as figuras acústicas de Chladni na areia, encontra suas causas na vibração das cordas e então jurará que agora deverá saber o que os homens chamam de "som" — e assim acontece a todos nós com a linguagem. Acreditamos saber algo das próprias coisas quando falamos de árvores, cores, neve e flores, e nada possuímos além de metáforas das coisas, que não correspondem absolutamente às entidades originais. Assim como o som convertido em figura de areia, o enigmático X da coisa em si se comporta primeiro como estímulo nervoso, depois como imagem e finalmente como som. De qualquer forma, não se procede logicamente no surgimento da linguagem, e todo o material no qual e com o qual mais tarde o homem da verdade, o pesquisador, o filósofo, trabalha e constrói, se origina, quando não do lar nas nuvens dos cucos, então de qualquer forma não da essência das coisas.

Pensemos especialmente na formação dos conceitos. Cada palavra se torna imediatamente conceito por não dever servir justamente para a experiência primordial única e absolutamente individualizada, à qual deve seu surgimento, por exemplo como lembrança, mas deve servir ao mesmo tempo para experiências inumeráveis, mais ou menos parecidas, quer dizer, estritamente falando jamais a mesma, e convir a casos absolutamente díspares. Todo conceito surge com a identificação do não idêntico. Com a mesma certeza de que uma folha nunca será igual à outra, o conceito de folha é formado pelo abandono dessas diversidades individuais, pelo esquecimento da diferenciação, e então desperta a representação, como se na natureza além das folhas houvesse algo que seria "folha", algo como uma forma primordial, a partir da qual todas as folhas seriam tecidas, desenhadas, circundadas, coloridas, encrespadas, pintadas, mas por mãos pouco hábeis, de modo que nenhum exemplar pareceria correto e fidedigno, uma cópia fiel da forma original. Chamamos uma pessoa de "honesta"; por que hoje ela agiu tão honestamente?, perguntamos. Nossa resposta costuma ser: por causa de sua honestidade. A honestidade! Isto significa novamente: a folha é a causa das folhas. Nada sabemos sobre uma qualidade essencial que se chamaria "honestidade", mas sim das ações numerosas e individualizadas e com isso diferentes, que com o abandono do diferente agora designamos ações honestas; por último, a partir delas formulamos uma *qualitas oculta* com o nome: "a honestidade". A omissão do aspecto individual e real dá-nos o conceito, assim como também nos dá a forma, e a natureza, ao contrário, não conhece formas e conceitos, portanto não conhece gêneros, mas somente um X para nós inacessível e indefinível. Pois nossa antítese de indivíduo e gênero também é antropomórfica e não se origina da essência das coisas, mesmo que também não ousemos dizer que ela não lhe corresponde: o que seria uma afirmação dogmática e, como tal, tão improvável quanto o seu contrário.

Portanto, o que é verdade? Uma multidão móvel de metáforas, metonímias, antropomorfismos, enfim: uma soma de relações humanas poética e retoricamente potencializadas, transpostas e ornadas e que, depois de longo uso, parecem a um povo sólidas, canônicas e obrigatórias: as verdades são ilusões, sobre as quais se esqueceu tratar-se de metáforas que se tornaram usadas e sem força sensível, moedas que perderam sua impressão e agora são consideradas apenas metal, não mais moedas.

ALÉM DO BEM E DO MAL
Dos preconceitos dos filósofos

> Neste capítulo inicial de *Além do bem e do mal* (1886), Nietzsche retoma algumas das questões discutidas em "Sobre a verdade e a mentira em um sentido extramoral", usando seu estilo iconoclasta contra alguns dos conceitos tradicionais da filosofia introduzidos pelos "grandes filósofos" como Descartes (o cogito) e Kant (os juízos sintéticos a priori). Ao ironizar a importância desses conceitos nos sistemas desses filósofos, procura mostrar que não resistiriam a um questionamento mais agudo, consistindo, no fundo, em meros postulados e não em verdades profundas sobre o ser humano ou a natureza do pensamento.

2. "Como *poderia* algo nascer do seu oposto? Por exemplo, a verdade do erro? Ou a vontade de verdade da vontade de engano? Ou a ação desinteressada do egoísmo ou a pura e radiante contemplação do sábio da concupiscência? Semelhante gênese é impossível; quem com ela sonha é um tolo, ou algo pior; as coisas de valor mais elevado devem ter uma origem que seja outra, *própria* — não podem derivar desse fugaz, enganador, sedutor, mesquinho mundo, desse turbilhão de insânia e cobiça! Devem vir do seio do ser, do intransitório, do deus oculto, da 'coisa em si' — nisso, e em nada mais, deve estar sua causa!" — Este modo de julgar constitui o típico preconceito pelo qual podem ser reconhecidos os metafísicos de todos os tempos; tal espécie de valoração está por trás de todos os seus procedimentos lógicos; é a partir desta sua "crença" que eles procuram alcançar seu "saber", alcançar algo que no fim é batizado solenemente de "verdade". A crença fundamental dos metafísicos é *a crença nas oposições de valores*. Nem aos mais cuidadosos dentre eles ocorreu duvidar aqui, no limiar, onde mais era necessário: mesmo quando haviam jurado para si próprios de *omnibus dubitandum* [de tudo duvidar]. Pois pode-se duvidar, primeiro, que existam absolutamente opostos; segundo, que as valorações e oposições de valor populares, nas quais os metafísicos imprimiram seu selo, sejam mais que avaliações-de-fachada, perspectivas provisórias, talvez inclusive vistas de um ângulo, de baixo para cima talvez, "perspectivas de rã", para usar uma expressão familiar aos pintores. Com todo o valor que possa merecer o que é verdadeiro, veraz, desinteressado: é possível que se deva atribuir à aparência, à vontade de engano, ao egoísmo e à cobiça um valor mais alto e mais fundamental para a vida. É até mesmo possível que aquilo que constitui o valor dessas coisas boas e honradas consista exatamente em serem insidiosamente aparentadas, atadas, unidas, e talvez até essencialmente iguais, a essas coisas ruins e aparentemente

opostas. Talvez! — Mas quem se mostra disposto a ocupar-se de tais perigosos "talvez"? Para isso será preciso esperar o advento de uma nova espécie de filósofos, que tenham gosto e pendor diversos, contrários aos daqueles que até agora existiam — filósofos do perigoso "talvez" a todo custo. — E, falando com toda a seriedade: eu vejo esses filósofos surgirem.

4. A falsidade de um juízo não chega a constituir, para nós, uma objeção contra ele; é talvez nesse ponto que a nossa nova linguagem soa mais estranha. A questão é em que medida ele promove ou conserva a vida, conserva ou até mesmo cultiva a espécie; e a nossa inclinação básica é afirmar que os juízos mais falsos (entre os quais os juízos sintéticos a priori) nos são os mais indispensáveis, que, sem permitir a vigência das ficções lógicas, sem medir a realidade com o mundo puramente inventado do absoluto, do igual a si mesmo, o homem não poderia viver — que renunciar aos juízos falsos equivale a renunciar à vida, negar a vida. Reconhecer a inverdade como condição de vida: isto significa, sem dúvida, enfrentar de maneira perigosa os habituais sentimentos de valor; e uma filosofia que se atreve a fazê-lo se coloca, apenas por isso, além do bem e do mal.

ASSIM FALOU ZARATUSTRA
O super-homem

> No prefácio a *Assim falou Zaratustra* (1883), Nietzsche usa o estilo profético de seu personagem Zaratustra, inspirado na tradição persa do zoroastrismo, em um texto de caráter bastante poético, para formular algumas de suas mais famosas imagens — por exemplo, a do homem como "uma corda sobre um abismo", uma visão ao mesmo tempo trágica e heroica.
>
> Essa obra, em suas múltiplas significações, pode ser vista como um contraponto ao cristianismo, à sua concepção de virtude e à sua ética do sofrimento e da submissão, em grande parte responsáveis, segundo Nietzsche, pela decadência da civilização ocidental.

IV. Mas Zaratustra contemplava, admirado, a multidão e lhe falou assim:

"O homem é uma corda estendida entre o animal e o super-homem — uma corda sobre o abismo.

Perigosa travessia, perigoso percurso, perigoso olhar para trás, perigoso tremor e paralisação.

A grandeza do homem está em ser ponte e não meta: o que nele se pode amar é o fato de ser ao mesmo tempo transição e declínio.

Amo os que só sabem viver em declínio; pois são os que transpõem.

Amo os que desprezam com intensidade, pois sabem venerar intensamente, e são flechas lançadas pelo anseio-da-outra-margem.

Amo os que não se satisfazem em procurar além das estrelas uma razão para serem declínio e oferenda, mas que, ao contrário, se sacrificam à terra para que esta um dia se torne a terra do super-homem.

Amo o que vive para conhecer, e quer conhecer para que um dia o super-homem viva. E quer assim o seu próprio declínio.

Amo o que trabalha e inventa para construir a morada do super-homem, e prepara para ele a terra, os animais e as plantas. Pois assim quer o seu declínio.

Amo o que ama a sua própria virtude, pois que a virtude é vontade de declínio e flecha do desejo.

Amo o que não guarda para si nem uma só gota de seu espírito mas quer ser inteiramente o espírito de sua própria virtude. É dessa forma que ele, como espírito, atravessa a ponte.

Amo o que faz da virtude inclinação e destino, pois ele, por amor à sua virtude, quer viver ainda e não mais viver.

Amo o que não quer virtudes em demasia. Uma única virtude é mais virtude do que duas, pois ela é o nó mais forte onde se ata o destino.

Amo o que prodigaliza sua alma, e que, ao fazer isso, não visa à gratidão nem ao pagamento; pois sempre dá e nada quer em troca.

Amo o que se envergonha quando o dado cai a seu favor, e então pergunta: serei um trapaceiro? Pois é para sua ruína que ele quer se encaminhar.

Amo o que antecede com palavras de ouro os seus atos e sempre cumpre mais do que promete; pois ele quer o seu declínio.

Amo o que justifica os que serão e resgata os que foram; pois quer perecer por aqueles que são.

Amo aquele que pune seu Deus porque o ama; porquanto só poderá perecer pela cólera de seu Deus.

Amo o que, mesmo ferido, tem a alma profunda, e que um simples acaso pode fazer perecer. Assim, ele atravessa de bom grado a ponte.

Amo aquele cuja alma transborda e a tal ponto se esquece de si que todas as coisas nele encontram lugar. Assim, todas as coisas se tornam seu declínio.

Amo o que tem o espírito livre e livre o coração. Assim, sua cabeça não passa de vísceras para seu coração; mas o coração o empurra para o declínio.

Amo todos aqueles que são como pesadas gotas caindo uma a uma da negra nuvem que paira sobre os homens; anunciam a chegada do raio e perecem como anunciadores.

Vede; sou o anunciador do raio, uma gota pesada dessa nuvem. Mas o raio se chama super-homem."

QUESTÕES E TEMAS PARA DISCUSSÃO

Sobre a verdade e a mentira em um sentido "extramoral"
1. Em que sentido Nietzsche problematiza o conceito tradicional de verdade?
2. Por que Nietzsche considera a verdade "uma metáfora"?
3. Qual a importância da linguagem para Nietzsche?

Dos preconceitos dos filósofos
4. Qual a crítica de Nietzsche a Descartes?
5. Qual a crítica de Nietzsche a Kant?
6. Como você vê o uso da ironia por Nietzsche nestes textos?

O super-homem
7. Em que medida podemos entender *Assim falou Zaratustra* em contraponto com a tradição cristã?
8. Qual o papel do filósofo para Nietzsche nesses textos?

LEITURAS SUGERIDAS

Nietzsche
Além do bem e do mal, São Paulo, Companhia das Letras, 1992.
Genealogia da moral, São Paulo, Companhia das Letras, 1998.
Ecce homo, São Paulo, Companhia das Letras, 1995.
O nascimento da tragédia, São Paulo, Companhia das Letras, 1992.

Sobre Nietzsche:
Zaratustra, tragédia nietzschiana, de Roberto Machado, Rio de Janeiro, Zahar, 1997.
O "Zaratustra" de Nietzsche, de Pierre Héber-Suffrin, Rio de Janeiro, Zahar, 1991.
Nietzsche como pensador político, de Keith Ansell-Pearson, Rio de Janeiro, Zahar, 1997.
Nietzsche em 90 minutos, de Paul Strathern, Rio de Janeiro, Zahar, 1997.
Labirinto da alma: Nietzsche e a autossupressão da moral, de Oswaldo Giacóia Jr. Campinas, Ed. da Unicamp, 1997.
Nietzsche: dos valores cósmicos aos valores humanos, de Scarlet Marton. São Paulo, Brasiliense, 1990.

HEIDEGGER

Martin Heidegger (1889-1976) pode ser considerado o filósofo alemão mais importante e influente do século XX. Nascido em Messkirch na Floresta Negra, em 1889, Heidegger estudou teologia e filosofia na Universidade de Freiburg im Brisgau, onde foi aluno de Edmund Husserl — o fundador da fenomenologia —, ao qual veio a suceder mais tarde, em 1928, na cátedra de filosofia dessa mesma universidade. Em 1933 tornou-se reitor por alguns meses, período em que se envolveu com o Partido Nazista, renunciando à reitoria no início de 1934. As relações de Heidegger com o Partido Nazista e sua suposta simpatia pelos nazistas sempre permaneceram nebulosas, o próprio Heidegger recusando-se a se manifestar sobre o assunto, apesar das acusações que lhe foram dirigidas.

A filosofia de Heidegger, sobretudo a partir de *Ser e tempo* (*Sein und Zeit*, 1927), se propõe a uma revisão da tradição metafísica ocidental, que considera dominada pelo racionalismo e pela centralidade da questão do conhecimento, ao passo que a questão do ser, a ontologia, que deveria ser mais fundamental, tornou-se secundária. É este o sentido básico da tese heideggeriana do "esquecimento do ser" na filosofia ocidental. Sua filosofia visa assim recuperar a centralidade do ser, de sua manifestação mais fundamental, cujo ponto de partida localiza no pensamento dos pré-socráticos, reinterpretando nessa direção os fragmentos sobretudo de Parmênides e Heráclito. Na fase final de sua obra, Heidegger vê na poesia a linguagem que mais se aproxima desse encontro com o ser, valorizando o sentido filosófico da obra de poetas como, por exemplo, Hölderlin. Daí a sua afirmação de que "a linguagem é a morada do ser".

QUE É ISTO — A FILOSOFIA?

> Esse texto (*Was ist das die Philosophie?*) foi apresentado originalmente por Heidegger em 1955 em um colóquio em Cerisy-la-Salle na França, e publicado na Alemanha no ano seguinte. As passagens aqui selecionadas representam a visão de Heidegger sobre as alterações pelas quais o termo grego *philosophia* foi passando ao longo da tradição. Heidegger busca recuperar então este sentido originário através da análise do termo em vários filósofos gregos, como Heráclito, Platão e Aristóteles, relacionando a filosofia tanto com o sentido de espanto diante do real como com o *logos* enquanto razão e discurso.

❝ Se penetrarmos no sentido pleno e originário da questão: Que é isto — a filosofia?, então nosso questionar encontrou em sua proveniência historial uma direção para nosso futuro historial. Encontramos um caminho. A questão mesma é um caminho. Ele conduz da existência própria ao mundo grego até nós, quando não para além de nós mesmos. Estamos — se perseverarmos na questão — a caminho, num caminho claramente orientado. Todavia, não nos dá isto uma garantia de que já, desde agora, sejamos capazes de trilhar este caminho de maneira correta. Já desde há muito tempo costuma-se caracterizar a pergunta pelo que algo é como a questão da essência. A questão da essência torna sempre então viva quando aquilo por cuja essência se interroga, se obscurece e confunde, quando ao mesmo tempo a relação do homem para com o que é questionado se mostra vacilante e abalada.

A questão de nosso encontro refere-se à essência da filosofia. Se esta questão brota realmente de uma indigência e se não está fadada a continuar apenas um simulacro de questão para alimentar uma conversa, então a filosofia deve ter-se tornado para nós problemática, enquanto filosofia. É isto exato? Em caso afirmativo, em que medida se tornou a filosofia problemática para nós? Isto evidentemente só podemos declarar se já lançamos um olhar para dentro da filosofia. Para isso é necessário que antes saibamos que é isto — a filosofia. Desta maneira somos estranhamente acossados dentro de um círculo. A filosofia mesma parece ser este círculo. Suponhamos que não nos podemos libertar imediatamente do cerco deste círculo; entretanto, é-nos permitido olhar para este círculo. Para onde se dirigirá nosso olhar? A palavra grega *philosophia* mostra-nos a direção.

Aqui se impõe uma observação fundamental. Se nós agora ou mais tarde prestamos atenção às palavras da língua grega, penetramos numa esfera privilegiada. Lentamente vislumbramos em nossa reflexão que a língua grega não é uma simples língua como as europeias que conhecemos. A língua grega, e somente ela, é *logos*. Disto ainda deveremos tratar ainda mais profundamente em nossas discussões. Para o momento sirva a indicação: o que é dito na língua grega é de modo privilegiado simultaneamente aquilo que em dizendo se nomeia. Se escutarmos de maneira grega uma palavra grega, então seguimos seu *legein*, o que expõe sem intermediários. O que ela expõe é o que está aí diante de nós. Pela palavra grega verdadeiramente ouvida de maneira grega, estamos imediatamente em presença da coisa mesma, aí diante de nós, e não primeiro apenas diante de uma simples significação verbal.

A palavra grega *philosphia* remonta à palavra *philosophos*. Originariamente esta palavra é um adjetivo como *philargyros*, o que ama a prata, como *philotimos*, o que ama a honra. A palavra *philosophos* foi presumivelmente criada por Heráclito. Isto quer dizer que para Heráclito ainda não existe a *philosophia*. Um *aner philosophos* não é um homem "filosófico". O adjetivo grego *philosphos* significa algo absolutamente diferente que os adjetivos filosófico, *philosophique*. Um *aner philosophos* é aquele, *hoz philei to sophon*, que ama a *sophon*; *philein* significa aqui, no sentido de Heráclito: *homologein*, falar assim como o *logos* fala, quer dizer corresponder ao *logos*. Este corresponder está em acordo com o *sophon*. Acordo é *harmonia*. O elemento específico de *philein* do amor, pensado por Heráclito, é a *harmonia* que se revela na recíproca integração de dois seres, nos laços que os unem originariamente numa disponibilidade de um para com o outro.

O *aner philosophos* ama o *sophon*. O que esta palavra diz para Heráclito é difícil traduzir. Podemos, porém, elucidá-lo a partir da própria explicação de Heráclito. De acordo com isto *to sophon* significa: *Hen Panta*, "Um (é) Tudo". Tudo quer dizer aqui: *Panta ta onta*, a totalidade, o todo do ente. *Hen*, o Um, designa: o que é um, o único, o que tudo une. Unido é, entretanto, todo o ente no ser. O *sophon* significa: todo ente é no ser. Dito mais precisamente: o ser *é* o ente. Nesta locução o "é" traz uma carga transitiva e designa algo assim como "recolhe". O ser recolhe o ente pelo fato de que é o ente. O ser é o recolhimento — *logos*.

Todo o ente é no ser. Ouvir tal coisa soa de modo trivial em nosso ouvido, quando não de modo ofensivo. Pois, pelo fato de o ente ter seu lugar no ser, ninguém precisa preocupar-se. Todo mundo sabe: ente é aquilo que é. Qual a outra solução para o ente a não ser esta: ser? E entretanto: precisamente isto, que o ente permaneça recolhido no ser, que no fenômeno do ser se manifesta o ente; isto jogava os gregos, e a eles primeiro unicamente, no espanto. Ente no ser: isto se tornou para os gregos o mais espantoso.

Entretanto, mesmo os gregos tiveram que salvar e proteger o poder de espanto deste mais espantoso — contra o ataque do entendimento sofista, que dispunha logo de uma explicação, compreensível para qualquer um, para tudo e a difundia. A salvação do mais espantoso — ente no ser — se deu pelo fato de que alguns se fizeram a caminho na sua direção, quer dizer do *sophon*. Estes tornaram-se por isto aqueles que *tendiam* para o *sophon* e que através de sua própria aspiração despertavam nos outros homens o anseio pelo *sophon* e o mantinham aceso. O *philein to sophon*, aquele acordo com o *sophon* de que falamos acima, a *harmonia*, transformou-se em *orecsis*, num *aspirar* pelo *sophon*. O *sophon* — o ente no ser — é agora propriamente procurado. Pelo fato de o *philein* não ser mais um acordo originário com o *sophon*, mas um singular aspirar pelo *sophon*, o *philein to sophon* torna-se "*philosophia*". Esta aspiração é determinada pelo *Eros*.

Uma tal procura que aspira pelo *sophon*, pelo *hen panta*, pelo ente no ser se articula agora numa questão: que é o ente, enquanto é? Somente agora o pensamento torna-se "filosofia". Heráclito e Parmênides ainda não eram "filósofos". Por que não? Porque eram *os maiores* pensadores. "Maiores" não designa aqui o cálculo de um rendimento, porém aponta para uma outra dimensão do pensamento. Heráclito e Parmênides eram "maiores" no sentido de que ainda se situavam no acordo com o *logos*, quer dizer, com o *hen panta*. O passo para a "filosofia", preparado pela sofística, só foi realizado por Sócrates e Platão. Aristóteles então, quase dois séculos depois de Heráclito, caracterizou este passo com a seguinte afirmação: *kai de kai to palai te kai nyn kai aei zetoumenan kai aei aporoúmenon, ti to on?* (Met. Z1, 1028 b2 sgs). Na tradução isso soa: "Assim pois, é aquilo para o qual (a filosofia) está em marcha já desde os primórdios, e também agora e para sempre e para o qual sempre de novo não encontra acesso (e que é por isso questionado): que é o ente? (*ti to on*)."

A filosofia procura o que é o ente enquanto é. A filosofia está a caminho do ser do ente, quer dizer, a caminho do ente sob o ponto de vista do ser. Aristóteles elucida isto, acrescentando uma explicação ao *ti to on*, que é o ente?, na passagem acima citada: *touto esti tis he ousia*? Traduzido: "Isto (a saber, *ti to on*) significa: que é a entidade do ente?" O ser do ente consiste na entidade. Esta porém — a *ousia* — é determinada por Platão como *idea*, por Aristótles como *energeia*.

De momento ainda não é necessário analisar mais exatamente o que Aristóteles entende por *energeia* e em que medida a *ousia* se deixa determinar pela *energeia*. O importante por ora é que prestemos atenção como Aristóteles delimita a filosofia em sua essência. No primeiro livro da *Metafísica* (Met. A2 982 b9 sg) o filósofo diz o seguinte: A filosofia é *episteme ton proton archon kai aition theoretike*. Traduz-se facilmente *episteme* por "ciência". Isto induz ao erro, porque, com demasiada facilidade, permitimos que se insinue a moderna concepção de "ciência". A tradução de *episteme* por "ciência" é também então enganosa quando entendemos "ciência" no sentido filosófico que tinham em mente Fichte, Schelling e Hegel. A palavra *episteme* deriva do particípio *epistamenos*. Assim se chama o homem enquanto competente e hábil (competência no sentido de *appartenance*) [pertencimento]. A filosofia é *episteme tis*, uma espécie de competência, *theoretike*, que é capaz de *theorein*, quer dizer, olhar para algo e envolver e fixar com o olhar aquilo que perscruta. É por isso que a filosofia é *episteme theoretike*. Mas que é isto que ela perscruta?

Aristóteles responde, fazendo referência às *protai archai kai aitai*. Costuma-se traduzir: "as primeiras razões e causas" — a saber do ente. As primeiras razões e causas constituem assim o ser do ente. Após dois milênios e meio me parece que teria chegado o tempo de considerar o que afinal tem o ser do ente a ver com coisas tais como "razão" e "causa". [...]

Quando é que a resposta à questão "Que é isto — a filosofia?" é uma resposta filosofante? Quando filosofamos nós? Manifestamente apenas então quando entramos em diálogo com os filósofos. Disto faz parte que discutamos com eles aquilo de que falam. Este debate em comum sobre aquilo que sempre de novo, enquanto o mesmo, é tarefa específica dos filósofos, é o falar, o *legein* no sentido do *dialegesthai*, o falar como diálogo. Se e quando o diálogo é necessariamente uma dialética, isto deixamos em aberto.

Uma coisa é verificar opiniões dos filósofos e descrevê-las. Outra coisa bem diferente é debater com eles aquilo que dizem, e isto quer dizer, do que falam.

Supondo, portanto, que os filósofos são interpelados pelo ser do ente para que digam o que o ente é, enquanto é, então também nosso diálogo com os filósofos deve ser interpelado pelo ser do ente. Nós mesmos devemos vir com nosso pensamento ao encontro daquilo para onde a filosofia está a caminho. Nosso falar deve cor-responder àquilo pelo qual os filósofos são interpelados. Se formos felizes neste cor-responder, res-pondemos, de maneira autêntica à questão: Que é isto — a filosofia? A palavra alemã *antworten*, responder, significa propriamente a mesma coisa que *ent-sprechen*, cor-responder. A resposta à nossa questão não se esgota numa afirmação que res-ponde à questão com uma verificação sobre o que se deve representar quando se ouve o conceito "filosofia". A resposta não é uma afirmação que replica (*n'est pas une réponse*), a resposta é muito mais a cor-respondência (*la correspondance*), que corresponde ao ser do ente. Imediatamente, porém, quiséramos saber o que constitui o elemento característico da resposta, no sentido da correspondência. Mas primeiro que tudo importa chegarmos a uma correspondência, antes que sobre ela levantemos a teoria.

A resposta à questão: Que é isto — a filosofia? consiste no fato de correspondermos àquilo para onde a filosofia está a caminho. E isto é: o ser do ente. Num tal corresponder prestamos, desde o começo, atenção àquilo que a filosofia já nos inspirou, a *filosofia*, quer dizer a *philosophia* entendida em sentido grego. Por isso somente chegamos *assim* à correspondência, quer dizer, à resposta à nossa questão, se permanecemos no diálogo com aquilo para onde a tradição da filosofia nos remete, isto é, libera. Não encontramos a resposta à questão, que é a filosofia, através de enunciados históricos sobre as definições da filosofia, mas através do diálogo com aquilo que se nos transmitiu como ser do ente.

Este caminho para a resposta à nossa questão não representa uma ruptura com a história, nem uma negação da história, mas uma apropriação e transformação do que foi transmitido. Uma tal apropriação da história é designada com a expressão "destruição". O sentido desta palavra é claramente determinado em *Ser e tempo* (§6). Destruição não significa ruína, mas desmontar, demolir e pôr de lado — a saber, as afirmações puramente históricas sobre a história da filosofia. Destruição significa: abrir nosso ouvido, torná-lo livre para aquilo que na tradição do ser do ente nos inspira. Mantendo nossos ouvidos dóceis a esta inspiração, conseguimos situar-nos na correspondência.

SER E TEMPO
A verdade

> *Ser e tempo* (*Sein und Zeit*, 1927) é a obra mais importante de Heidegger, e certamente um clássico da filosofia do século XX. Seu estilo é bastante hermético, como Heidegger introduzindo uma terminologia conceitual própria — que considera condição indispensável para o desenvolvimento de sua filosofia —, evitando o sentido desgastado dos termos filosóficos tradicionais. O §44, um dos mais centrais do texto, trata especificamente da questão da verdade. Heidegger examina a relação originária entre verdade e ser, analisando a verdade como manifestação do ser, o que seria o sentido literal do termo grego *aletheia* (verdade), "desvelamento"; mostra, em seguida, como na tradição filosófica — já desde Aristóteles até a modernidade —, a verdade passa a ser considerada uma propriedade de proposições, definindo-se como a adequação ou correspondência entre a proposição e o real, tendo portanto um sentido lógico e epistemológico e não mais essencialmente ontológico.

De há muito, a filosofia correlacionou verdade e ser. A primeira descoberta do ser dos entes com Parmênides "identifica" o ser com a compreensão que percebe o ser: *to gar auto noein estin te kai einai*. Aristóteles, em seu esboço de história da descoberta dos *archai*, ressalta que os filósofos que o antecederam foram conduzidos pelas "coisas elas mesmas" e estas os obrigaram a prosseguir o questionamento: *auto to pragma odopoisen autois kai synenagkase dzetein*. Ele também caracterizou esse mesmo fato com as seguintes palavras: *anagkadzomenos d'akoloythein tois phainomenois*, ele (Parmênides) foi obrigado a perseguir aquilo que se mostrou em si mesmo. Em outra passagem diz: *yp aytes tes aletheias anagkadzomenoi*, eles investigavam pressionados pela "verdade". Aristóteles denomina essa investigação de *philosophein peri tes aletheias*, "filosofar" sobre a "verdade" ou, também, *apophainesthai peri tes aletheias*, deixar e fazer ver numa de-monstração, com respeito e no âmbito da "verdade". A própria filosofia se determina como *episteme tis tes alegheias*, ciência da "verdade". Ao mesmo tempo, porém, caracteriza-se como uma *episteme, he theorei to on he on*, como ciência que considera o ente enquanto ente, ou seja, no tocante ao seu ser.

O que significa aqui "investigar sobre a 'verdade'", ciência da "verdade"? Será que, nessa investigação, a verdade é tratada como tema no sentido de uma teoria do conhecimento ou do juízo? Certamente não, pois "verdade" significa o mesmo que "coisa", "o que se mostra em si mesmo". O que então significa a expressão "verdade", quando usada terminologicamente como "ente" e "ser"?

Se *verdade* encontra-se, justificadamente, num nexo originário com o *ser*, então o fenômeno da verdade remete ao âmbito da problemática ontológica fundamental. Desse modo, já não se deveria encontrar esse fenômeno no seio da análise fundamental preparatória, na analítica da pré-sença? Que nexo ôntico-ontológico a "verdade" estabelece com a pré-sença e com sua determinação ôntica, que chamamos de compreensão do ser? Será que tomando isso por base poder-se-ia demonstrar por que ser correlaciona-se necessariamente com verdade e vice-versa?

Esse questionamento não pode ser recusado. Na medida em que, de fato, ser "correlaciona-se" com verdade, o fenômeno da verdade, embora não explicitado com esse título, já foi tema das análises anteriores. Doravante, trata-se de circunscrever explicitamente o fenômeno da verdade e fixar os problemas que inclui, levando em consideração o acirramento do problema do ser. Nessa altura, não caberia apenas resumir o que foi discutido anteriormente. A investigação toma agora um novo princípio.

A análise partirá do *conceito tradicional de verdade* e procurará expor os seus fundamentos ontológicos (a). A partir desses fundamentos, tornar-se-á visível o fenômeno *originário* da verdade. Dele pode-se, então, de-monstrar o *caráter derivado* do conceito tradicional de verdade (b). A investigação evidenciará que a questão sobre *o modo de ser* da verdade pertence necessariamente à questão sobre a "essência" da verdade. Daí se segue o esclarecimento do sentido ontológico da afirmação de que "verdade se dá" e do modo em que necessariamente "se deve pressupor" que "se dá" verdade (c).

a) O conceito tradicional de verdade e seus fundamentos ontológicos

Três teses caracterizam a apreensão tradicional da essência da verdade e a opinião gerada em torno de sua primeira definição: 1. O "lugar" da verdade é a proposição (o juízo). 2. A essência da verdade reside na "concordância" entre o juízo e seu objeto. 3. Aristóteles, o pai da lógica, não só indicou o juízo como o lugar originário da verdade, como também colocou em voga a definição da verdade como "concordância".

Não é nossa intenção elaborar uma história do conceito de verdade, o que só poderia ser feito com base numa história da ontologia. Algumas indicações características sobre o que já se conhece devem apenas introduzir as discussões analíticas.

Aristóteles diz: *pathemata tes psyches ton pragmaton omoiomata*, as "vivências" da alma, as *noemata* ("representações") são adequações às coisas. Essas proposições, que de modo algum se propõem como definição expressa da essência, da verdade, desempenharam importante papel ao se elaborar posteriormente a essência da verdade como *adaequatio intellectus et rei*. Tomás de Aquino, que remete sua definição a Avicenna, que, por sua vez, remete ao *Livro das definições* (século X) de Isaak Israelis, também usou para *adaequatio* (adequação) os termos *correspondentia* e *convenientia*.

A epistemologia neokantiana do século XIX caracterizou de muitas maneiras essa definição de verdade como a expressão de um realismo que, do ponto de vista do método, se manteve ingênuo, considerando-a incompatível com um questionamento que tenha passado pela "revolução copernicana" de Kant. O que assim não se percebe, e para o que Brentano chamou a atenção, é que também Kant se ateve de tal modo a esse conceito de verdade que nem chegou a discuti-lo: "A antiga e famosa questão, com a qual se supunha colocar os lógicos em apuros, é a seguinte: *O que é verdade?* O esclarecimento nominal da verdade como concordância entre o conhecimento e o seu objeto é aqui presenteado e pressuposto..."

"Se verdade consiste na concordância de um conhecimento com o seu objeto, segue-se que esse objeto deve distinguir-se dos demais; pois um conhecimento é falso quando não concorda com o objeto a que está remetido mesmo que contenha algo que possa valer para outros objetos." E na introdução à dialética transcendental, Kant diz: "Verdade ou aparência não se encontram no objeto na medida em que ele se dá na intuição e sim no juízo a seu respeito, na medida em que é pensado."

A caracterização da verdade como "concordância", *adaequatio, omoiosis,* é, de certo, por demais vazia e universal. Encontrará, no entanto, alguma razão caso se sustente, a despeito das interpretações mais variadas do conhecimento que traz esse predicado privilegiado. Questionamos agora o fundamento dessa "relação". *O que implicitamente também se põe com o todo da relação — adaequatio intellectus et rei? Que caráter ontológico possui o que também se põe?*

O que significa o termo "concordância"? A concordância de algo com algo tem o caráter formal da relação de algo com algo. Toda concordância e, assim também, toda "verdade" é uma relação. Mas nem toda relação é uma concordância. Um sinal assinala *para* o assinalado. Assinalar é uma relação entre o sinal e o assinalado mas não uma concordância. Decerto, nem toda concordância significa uma espécie de *convenientia*, tal como se fixou na definição da verdade. O número 6 concorda com 16-10. Os números concordam e são iguais, no tocante à quantidade. Igualdade *é um* modo de concordância. A ela pertence estruturalmente uma espécie de "perspectiva". O que é isso em cuja perspectiva concorda aquilo que, na *adaequatio*, se relaciona? Ao se esclarecer a relação de verdade, deve-se também considerar a especificidade dos membros da relação. Em que perspectiva *intellectus* e *res* concordam? Será que, em seu modo de ser e em seu conteúdo essencial, eles proporcionam algo em cuja perspectiva podem concordar? Caso seja impossível uma igualdade entre eles, por não pertencerem à mesma espécie, não será então possível que ambos (*intellectus* e *res*) sejam semelhantes? Todavia, qualquer conhecimento deve "dar" a coisa *assim como* ela é. A "concordância" tem o caráter da relação "assim como". De que modo essa relação se torna possível enquanto relação de *intellectus* e *res*? A partir dessas questões evidencia-se que, para se esclarecer a estrutura da verdade, não basta simplesmente pressupor esse todo relacional mas é preciso reconduzir o questionamento a seu contexto ontológico que sustenta esse todo como tal.

Mas será necessário para isso arrolar toda a problemática "epistemológica" referente à relação sujeito-objeto? Ou será que a análise pode restringir-se à interpretação da "consciência imanente da verdade", permanecendo-se, portanto, "na esfera" do sujeito? Segundo a opinião geral, só o conhecimento é verdadeiro. Conhecer, porém, é julgar. Em todo julgamento, deve-se distinguir a ação de julgar enquanto processo psíquico *real* e o conteúdo julgado enquanto conteúdo *ideal*. Deste último, diz-se que é "verdadeiro". Em contrapartida, o processo psíquico real é simplesmente dado ou não. O conteúdo ideal do juízo, pois, o que se acha numa relação de concordância. E esta diz respeito a um nexo entre o conteúdo ideal do juízo e a coisa real *sobre a qual* se julga. Em seu modo de ser, a concordância é real, ideal ou nenhuma delas? *Como se deve apreender ontologicamente a relação entre o ente ideal e o real simplesmente dado?* Essa relação subsiste e consiste em juízos de fato não somente entre o conteúdo do juízo e o objeto real, mas também entre o conteúdo ideal e a ação real de julgar; e aqui a relação não será manifestamente mais "intrínseca"?

Ou será que não se deve levantar a questão sobre o sentido ontológico da relação entre real e ideal (da *methexis*)? A relação deve, porém, *subsistir*. O que significa, do ponto de vista ontológico, subsistência?

O que pode constituir um obstáculo para a legitimidade dessa questão? Será um acaso o fato desse problema há mais de dois milênios não sair do lugar? Ou será que o descaminho da questão consiste em seu ponto de partida, ou seja, na separação ontologicamente não esclarecida entre real e ideal?

E a separação entre a realização real e o conteúdo ideal não será ilegítima justamente no tocante à ação "real" de julgar alguma coisa? Não será que a realidade do conhecimento e do juízo se rompe em dois modos de ser ou "camadas", cuja sutura jamais chegará a alcançar o modo de ser do conhecimento? Não será que o psicologismo tem razão quando se opõe a esta separação, embora ele próprio não esclareça ontologicamente o modo de ser do pensamento que pensa alguma coisa e nem mesmo reconheça esse problema?

Na questão sobre o modo de ser da *adaequatio*, apontar para a cisão entre conteúdo do juízo e ação de julgar não promoverá a discussão. Com isso apenas se evidenciará que o esclarecimento do modo de ser próprio do conhecimento é inevitável. É preciso tentar uma análise do modo de ser do conhecimento e, ao mesmo tempo, visualizar o fenômeno da verdade que o caracteriza. Quando é que o fenômeno da verdade se exprime no próprio conhecimento? Sem dúvida, quando o conhecimento se mostra *como verdadeiro*. É a própria verificação de si mesmo que lhe assegura a sua verdade. No contexto fenomenal dessa verificação, portanto, é que a relação de concordância deve tornar-se visível.

Com as costas viradas para a parede, alguém emite a seguinte proposição verdadeira: "O quadro na parede está torto". A proposição se verifica quando ele se vira e percebe o quadro torto na parede. O que nessa verificação é verificado? Qual o sentido da confirmação dessa proposição? Será que se constata uma concordância do conhecimento ou do conhecido com a coisa na parede? Sim e não, conforme se interprete fenomenalmente o que diz a expressão "o conhecido". A que remete o emissor da proposição quando ele — sem perceber mas "apenas representando" — julga? Será que remete a "representações"? Certamente não, se representação for tomada como processo psíquico. Também não remete a representações no sentido do representado, ou seja, da "imagem" da coisa real na parede. Segundo o seu sentido mais próprio, a proposição que "apenas representa" remete ao quadro real na parede. É a ele que se visa e não a outra coisa. Toda interpretação que introduzisse aqui alguma outra coisa, que deveria estar implicada na proposição que apenas representa, falsificaria o conteúdo fenomenal a respeito do qual se emite uma proposição. A proposição é um ser para a própria coisa que é. O que se verifica através da percepção? Somente *o fato* de que é o próprio ente que se visava na proposição. Alcança-se a confirmação de que o ser que propõe para o proposto é uma demonstração daquele ente, *o fato* de que ele *descobre* o ente para o qual ele é. Verifica-se o ser-descobridor da proposição. Cumprindo a verificação, o conhecimento remete unicamente ao próprio ente. É sobre ele próprio que reincide a confirmação. O próprio ente visado mostra-se *assim como* ele é em si mesmo, ou seja, que, em si mesmo, *ele é* assim como se mostra e descobre *sendo* na proposição. Não se comparam representações entre si nem com *relação* à coisa real. O que se deve verificar não é uma concordância entre conhecimento e objeto e muito menos entre algo psíquico e algo físico. Também não se trata de uma concordância entre vários "conteúdos da consciência". O que se deve verificar é unicamente o ser e estar descoberto do próprio ente, *o ente* na modalidade de sua descoberta. Isso se confirma pelo fato de que o proposto, isto é, o ente em si mesmo, mostra-se *como o mesmo*. Confirmar significa: *que o ente se mostra em si mesmo*. A verificação se cumpre com base num mostrar-se dos entes. Isso só é possível pelo fato de que, enquanto proposição e confirmação, o conhecimento é, segundo seu sentido ontológico, um ser que, *descobrindo*, realiza seu *ser para* o próprio ente real.

A proposição *é verdadeira* significa: ela descobre o ente em si mesmo. Ela propõe, indica, "deixa ver" (*apophansis*) o ente em seu ser e estar descoberto. O *ser-verdadeiro (verdade)* da proposição deve ser entendido no sentido de *ser-descobridor*. A verdade não possui, portanto, a estrutura de uma concordância entre conhecimento e objeto, no sentido de uma adequação entre um ente (sujeito) e um outro ente (objeto).

Enquanto ser-descobridor, o ser-verdadeiro só é, pois, ontologicamente possível com base no ser-no-mundo. Esse fenômeno, em que reconhecemos uma constituição fundamental da presença, constitui o *fundamento* do fenômeno originário da verdade. É o que agora se vai perseguir mais profundamente.

b) O fenômeno originário da verdade e o caráter derivado do conceito tradicional de verdade

Ser-verdadeiro (verdade) diz ser-descobridor. Mas não será esta uma definição extremamente arbitrária da verdade? Com determinações conceituais tão violentas talvez se consiga desvincular a ideia de concordância do conceito de verdade. O preço desse sucesso duvidoso não seria condenar a antiga e "boa" tradição a um nada negativo? A definição aparentemente *arbitrária*, contudo, apenas traz uma interpretação *necessária* daquilo que a tradição mais antiga da filosofia pressentiu de maneira originária, e chegou a compreender pré-fenomenologicamente. O ser-verdadeiro do *logos* enquanto *apophanois* é *aletheyein*, no modo de *apophainesthai*: deixar e fazer ver (descoberta) o ente em seu desvelamento, retirando-o do velamento. A *aletheia*, identificada por Aristóteles nas passagens supracitadas com *pragma phainomena*, indica as "coisas elas mesmas"; o que se mostra, o *ente na modalidade de sua descoberta*. Será por acaso que num dos fragmentos de Heráclito, que constituem os ensinamentos *mais antigos* da filosofia em que o *logos* é tratado *explicitamente*, o fenômeno da verdade acima apresentado transpareça no sentido de descoberta (desvelamento)? Contrapõem-se ao *logos* e a quem o diz e compreende aqueles que não compreendem. O *logos* é *phradzon okos echei*, ele diz como o ente se comporta. Para aqueles que não compreendem, porém, *lanthanei*, o que eles fazem permanece velado; *epilanthanontai*, eles esquecem, isto é, o ente se lhes vela novamente. Pertence, pois, ao *logos* o desvelamento, *a-letheia*. A tradução pela palavra verdade e, sobretudo, as determinações teóricas de seu conceito encobrem o sentido daquilo que os gregos, numa compreensão pré-filosófica, estabeleceram como fundamento "evidente" do uso terminológico de *aletheia*.

A adução desses testemunhos deve resguardar-se de uma mística desenfreada das palavras; entretanto, o ofício da filosofia é, em última instância, preservar a *força das palavras mais elementares*, em que a pre-sença se pronuncia a fim de que elas não sejam niveladas à incompreensão do entendimento comum, fonte de pseudoproblemas.

O que antes foi colocado numa interpretação dogmática do *logos* e *aletheia* recebe agora uma verificação fenomenal. A "definição" proposta da verdade não é um *repúdio* da tradição mas uma *apropriação* originária: e tanto mais quando se conseguir provar o fato e o modo em que a teoria fundada no fenômeno originário da verdade precisou chegar à ideia de concordância.

A "definição" da verdade como descoberta e ser-descobridor também não é uma mera explicação de palavras. Ela nasce da análise dos comportamentos da pre-sença, que costumamos chamar de "verdadeiros".

Ser-verdadeiro enquanto ser-descobridor é um modo de ser da presença. O que possibilita esse descobrir em si mesmo deve ser necessariamente considerado "verdadeiro", num sentido ainda mais originário. *Os fundamentos ontológico-existenciais do próprio descobrir é que mostram o fenômeno mais originário da verdade*.

Descobrir é um modo de ser-no-mundo. A ocupação que se dá na circunvisão ou que se concentra na observação descobre entes intramundanos. São estes o que se descobre. São "verdadeiros" num duplo sentido. Primordialmente verdadeiro, isto é, exercendo a ação de descobrir, é a pre-sença. Num segundo sentido, a verdade não diz o ser-descobridor (o descobrimento) mas o ser-descoberto (descoberta).

Entretanto, a análise anterior da mundanidade do mundo e dos entes intramundanos mostrou que a descoberta dos entes intramundanos se *funda* na abertura do mundo. Abertura, porém, é o modo fundamental da pre-sença segundo o qual ela *é* o seu pre. A abertura se constitui de disposição, compreensão e discurso, referindo-se, de maneira igualmente originária, ao mundo, ao ser-em e ao ser-próprio. A estrutura da cura, enquanto *preceder a si mesma* por já estar num mundo; enquanto ser-junto aos entes intramundanos, resguarda em si a abertura da pre-sença. *Com* ela e *por* ela é que se dá descoberta. Por isso, somente com *a abertura* da presença é que se alcança o fenômeno *mais originário* da verdade. O que antes se demonstrou quanto à constituição existencial do pre e com referência ao seu ser cotidiano referia-se ao fenômeno mais originário da verdade. Na medida em que a presença é essencialmente a sua abertura, na medida em que ela abre e descobre o que se abre, a pre-sença é essencialmente "verdadeira". *A pre-sença é e está "na verdade"*. Essa proposição tem sentido ontológico. Não significa que onticamente a presença tenha sido introduzida sempre ou apenas algumas vezes "em toda a verdade", mas indica que a abertura de seu ser mais próprio pertence à sua constituição existencial.

QUESTÕES E TEMAS PARA DISCUSSÃO

Que é isto — a filosofia?
1. Qual o sentido originário, para Heidegger, do filosofar?
2. Como esse sentido pode ser recuperado?
3. Como Heidegger vê a relação entre filosofia e linguagem?

A verdade
4. Qual a importância da verdade segundo Heidegger?
5. Como se pode contrastar o sentido ontológico da verdade com seu sentido lógico-epistemológico?
6. Comente a seguinte afirmação de Heidegger ao final da seção (a) do §44: "o *ser-verdadeiro* (verdade) da proposição deve ser entendido no sentido de *ser-descobridor*".

LEITURAS SUGERIDAS

Heidegger
Ser e tempo, Petrópolis, Vozes, 1989.

Sobre Heidegger:
Seis estudos sobre "Ser e tempo", de Ernildo Stein, Petrópolis, Vozes, 1988.

SARTRE

Jean-Paul Sartre (1905-80), nascido em Paris, destacou-se não só como filósofo, mas também como romancista, dramaturgo, jornalista, editor, militante e ativista político. Influenciado inicialmente pelo pensamento alemão, sobretudo pela fenomenologia de Husserl e pela filosofia de Heidegger, Sartre publicou em 1943 *O ser e o nada*, em que formula as teses centrais de sua filosofia existencialista, pela qual se destacou. Na *Crítica da razão dialética*, de 1960, afasta-se do existencialismo elaborando uma versão própria do marxismo.

Sua obra literária inclui os romances *A náusea* (1938) e *Os caminhos da liberdade* (1944-49), bem como peças de teatro de grande sucesso como *As moscas* (1943) e *Entre quatro paredes* (*Huis clos*, 1945). Em 1945 fundou a revista *Les Temps Modernes*, de grande prestígio na época. Escreveu também ensaios sobre escritores franceses como Baudelaire, Genet e Flaubert, utilizando elementos do existencialismo e da psicanálise na interpretação da obra desses autores. Em 1964, recusou, em um gesto político, o Prêmio Nobel de Literatura que lhe fora concedido.

O existencialismo foi uma filosofia marcante nas décadas de 1950 e 1960, tendo grande influência não só na filosofia, mas também na literatura, na música, no teatro e no cinema, despertando grande interesse e chegando a ter um público amplo.

A filosofia existencialista sartriana parte de uma concepção do homem como "o ser cuja existência precede a essência", isto é, o homem não tem uma essência predeterminada, mas ele se faz em sua existência. Contudo, o homem é também um ser marcado pela consciência da morte e da finitude, o "único animal que sabe que vai morrer", e por isso, ao buscar essa identidade absoluta, está condenado ao fracasso. Portanto, a existência humana é, em última instância, absurda, sem sentido. O existencialismo de Sartre é ateu, sustentando que, embora o homem acredite que Deus o criou, foi ele quem "criou" Deus; porém isso é inútil, porque o homem jamais chegará a ser como Deus, a atingir o absoluto. Resta ao homem, assim, apenas a liberdade, e é esta a fonte principal de sua angústia. "Somos condenados a ser livres", diz Sartre. Os homens alienados recusam essa liberdade porque a temem, temem confrontar o vazio de sua própria existência porque não assumem os riscos e desafios que ela envolve. Porém, o homem autêntico realizará o seu próprio projeto, dando assim sentido à sua existência.

A NÁUSEA
O absurdo e a existência

> Pode-se considerar que a melhor expressão do existencialismo de Sartre se encontra em sua obra literária, seus romances e suas peças teatrais, cuja temática é sempre profundamente filosófica,
>
> A náusea (La nausée, 1938), o primeiro romance de sucesso de Sartre e uma das primeiras formulações do pensamento existencialista, é escrito sob a forma do diário de um historiador, Roquetin, que se refugia na cidade fictícia de Bouvilles (a Le Havre onde Sartre passou seus primeiros anos como professor) para escrever a biografia de um nobre francês do século XVIII, o marquês de Rollebon. O texto narra o cotidiano de Roquetin, caricaturando os personagens burgueses com quem se defronta no seu dia a dia em Bouvilles e, ao mesmo tempo, sua progressiva tomada de consciência do vazio e do absurdo de sua existência na medida em que realiza pesquisas na biblioteca da cidade sobre o marquês. O sentimento da náusea é como a concretização dessa tomada de consciência, mas ao compreender o processo pelo qual passa, ao viver intensamente a própria náusea, Roquetin paradoxalmente descobre sua liberdade. O texto que se segue, do final do romance, descreve exatamente o momento de tomada de consciência de Roquetin.

" Não posso dizer que me sinta aliviado nem contente; ao contrário, me sinto esmagado. Só que meu objetivo foi atingido: sei o que desejava saber; compreendi tudo o que me aconteceu a partir do mês de janeiro. A Náusea não me abandonou e não creio que me abandone tão cedo; mas já não estou submetido a ela, já não se trata de uma doença, nem de uma acesso passageiro; a Náusea sou eu.

Estava então, ainda agora, no jardim público. A raiz do castanheiro já se enfiava na terra bem por baixo de meu banco. Já não me lembrava de que era uma raiz. As palavras se haviam dissipado e com elas o significado das coisas, seus modos de emprego, os frágeis pontos de referência que os homens traçaram em sua superfície. Estava sentado, um pouco curvado, a cabeça baixa, sozinho diante dessa massa negra e nodosa, inteiramente bruta e assustadora. E depois tive essa iluminação.

Fiquei sem respiração. Nunca, antes desses últimos dias, tinha pressentido o que queria dizer "existir". Era como os outros, como os que passeiam à beira-mar com suas roupas de primavera. Dizia como eles: o mar *é* verde; aquele ponto branco lá no alto *é* uma gaivota, mas eu não sentia que aquilo existisse, que a gaivota fosse uma "gaivota-existente"; comumente a existência se esconde. Está presente, à nossa volta, em nós, ela somos *nós*, não podemos dizer duas palavras sem mencioná-la, e afinal não a tocamos. Quando julgava estar pensando nela, creio que não pensava em nada, tinha a cabeça vazia ou apenas uma palavra na cabeça, a palavra "ser". Ou então pensava... como dizer? Pensava na *pertinência*, dizia a mim mesmo que o mar pertencia à classe dos objetos verdes ou que o verde fazia parte das qualidades do mar. Mesmo quando olhava para as coisas, estava muito longe de sonhar que essas existiam: apareciam-me como um cenário. Tomava-as nas mãos, elas me serviam de utensílios, eu previa suas resistências. Mas tudo isso ocorria na superfície. Se me tivessem perguntado o que era a existência, teria respondido de boa-fé que não era nada, apenas uma forma vazia que vinha se juntar às coisas exteriormente, sem modificar em nada sua natureza. E depois foi isto: de repente, ali estava, claro como o dia: a existência subitamente se revelara. Perdera seu aspecto inofensivo de categoria abstrata: era a própria massa das coisas, aquela raiz estava sovada em existência. Ou antes, a raiz, as grades do jardim, o banco, a relva rala do gramado, tudo se desvanecera; a diversidade das coisas, sua individualidade, eram apenas uma aparência, um verniz. Esse verniz se dissolvera, restavam massas monstruosas e moles, em desordem — nuas, de uma nudez apavorante e obscena.

Abstinha-me de fazer o menor movimento, mas não precisava me mexer para ver por trás das árvores as colunas azuis e o lampadário do coreto de música, e a Véleda, no meio de uma moita de loureiros. Todos esses objetos... como dizer? Incomodavam-me; teria desejado que existissem com menos intensidade, de uma maneira mais seca, mais abstrata, com mais recato. O castanheiro me entrava pelos olhos. Uma ferrugem verde cobria-o até meia altura; a casca, preta e empolada, parecia de couro fervido. O ruído discreto da água da fonte Masqueret penetrava em meus ouvidos, fazia neles um ninho, enchia-os de suspiros; minhas narinas transbordavam de um odor verde e pútrido. Todas as coisas, suavemente, ternamente, se entregavam à existência como essas mulheres cansadas que se entregam ao riso e dizem com voz comovida: "É bom rir";

exibiam-se, umas em frente às outras, faziam-se a abjeta confidência de sua existência. Compreendi que não havia meio-termo entre a inexistência e aquela abundância extática. Existindo, era necessário *existir até aquele ponto*, até o bolor, a tumidez, a obscenidade. Num outro mundo os círculos, as melodias conservam suas linhas puras e rígidas. Mas a existência é uma vergadura. Árvores, pilares azulados, o estertor feliz de uma fonte, aromas vivos, pequenas névoas de calor que flutuavam no ar frio, um homem ruivo digerindo em seu banco: todas essas sonolências, todas essas digestões, consideradas em conjunto, ofereciam um aspecto vagamente cômico. Cômico... não: não chegava a esse ponto, nada do que existe pode ser cômico; era como uma analogia imprecisa, quase imperceptível, com certas situações de *vaudeville*. Éramos um amontoado de entes incômodos, estorvados por nós mesmos, não tínhamos a menor razão para estar ali, nem uns nem outros, cada ente confuso, vagamente inquieto, se sentia demais em relação aos outros. *Demais*: era a única relação que podia estabelecer entre aquelas árvores, aquelas grades, aquelas pedras. Tentava inutilmente *contar* os castanheiros e *situá-los* com relação à Véleda; tentava comparar sua altura com a dos plátanos: cada um deles escapava das relações em que procurava encerrá-los, isolava-se, extravasava. Eu sentia o arbitrário dessas relações (que me obstinava em manter para retardar o desabamento do mundo humano, das medidas, das quantidades, das direções); elas já não tinham como agir sobre as coisas. *Demais*, o castanheiro, ali em frente a mim um pouco à esquerda. *Demais*, a Véleda...

E eu — fraco, lânguido, obsceno, digerindo, revolvendo pensamentos sombrios —, *também eu era demais*. Felizmente não o sentia, sobretudo não o compreendia, mas não estava à vontade, porque temia senti-lo (mesmo agora temo isso — temo que esse movimento me agarre pela nuca e me erga súbita e violentamente como um maremoto). Pensava vagamente em me suprimir, para aniquilar pelo menos uma dessas existências supérfluas. Mas até mesmo minha morte teria sido demais. Demais, meu cadáver, meu sangue sobre aquelas pedras, entre aquelas plantas ao fundo daquele jardim risonho. E a carne corroída teria sido demais na terra que a recebesse, e meus ossos, finalmente, limpos, descarnados, asseados e imaculados como dentes, também teriam sido demais: eu era demais para a eternidade.

A palavra "Absurdo" surge agora sob minha caneta; há pouco no jardim não a encontrei, mas também não a procurava, não precisava dela: pensava sem palavras, *sobre* as coisas, *com* as coisas. O absurdo não era uma ideia em minha cabeça, nem um sopro de voz, mas sim aquela longa serpente morta aos meus pés, aquela serpente de lenho. Serpente ou garra, ou raiz, ou gafa de abutre, pouco importa. E sem formular claramente nada, compreendi que havia encontrado a chave da Existência, a chave de minhas Náuseas, de minha própria vida. De fato, tudo o que pude captar a seguir liga-se a esse absurdo fundamental. Absurdo: ainda uma palavra; debato-me com as palavras; lá eu tocava a coisa. Mas desejaria fixar aqui o caráter absoluto desse absurdo. Um gesto, um acontecimento no pequeno mundo colorido dos homens sempre é apenas relativamente absurdo: em relação às circunstâncias que o acompanham. Os discursos de um louco, por exemplo, são absurdos em relação à situação em que este se encontra, mas não em relação ao seu delírio. Mas eu, ainda agora, tive a experiência do absoluto: o absoluto ou o absurdo. Aquela raiz — não havia nada em relação a ela que não fosse absurdo. Oh! Como poderei fixar isso com palavras? Absurdo: com relação às pedras, aos tufos de relva amarela, à lama seca, à árvore, ao céu, aos bancos verdes. Absurdo, irredutível; nada — nem mesmo um delírio profundo e secreto da natureza — podia explicá-lo. Evidentemente eu não sabia tudo, não assistira à germinação nem ao crescimento da árvore. Mas diante daquela grande pata rugosa, nem a ignorância, nem o saber importavam: o mundo das explicações e das razões não é o da existência. Um círculo não é absurdo, é perfeitamente explicável pela rotação de um segmento de reta em torno de uma de suas extremidades. Mas também um círculo não existe. A raiz, ao contrário, existia na medida em que eu não podia explicá-la. Nodosa, inerte, sem nome, ela me fascinava, enchia-me os olhos, reconduzia-me constantemente para sua própria existência. Era inútil que repetisse: "É uma raiz" — isso não surtia efeito. Bem via que não era possível passar de sua função de raiz, de bomba aspirante, *àquilo*, àquela pele dura e compacta de foca, àquele aspecto oleoso, caloso, obstinado. A função nada explicava: possibilitava que se compreendesse *grosso modo* o que era uma raiz, mas não *aquela raiz*. Aquela, com sua cor, sua forma, seu movimento paralisado, estava... abaixo de qualquer explicação. Cada uma de suas qualidades escapava-lhe um pouco, escorria para fora dela, semissolidificava-se, tornava-se quase uma coisa; cada uma era *demais* na raiz e o cepo inteiro me dava agora a impressão de sair um pouco de si mesmo, de se negar, de se perder num estranho excesso. Raspei o salto do sapato naquela garra preta: teria gostado de esfolá-la um pouco. Por nada, por desafio, para fazer surgir no couro curtido o rosa absurdo de uma escoriação: para brincar com o absurdo do mundo. Mas quando afastei meu pé, vi que a casca continuava preta.

    Preta? Senti que a palavra se esvaziava, perdia seu sentido com uma rapidez extraordinária. Preta? A raiz *não era* preta, o que havia naquele pedaço de lenho não era o preto — era... outra coisa: o preto, assim como o círculo, não existia. Eu olhava para a raiz: era *mais que preta* ou *quase* preta? Mas logo deixei de me interrogar, porque tinha a impressão de estar em terreno conhecido. Sim, já perscrutara com aquela inquietação inúmeros objetos, já tentara — inutilmente — pensar algo *acerca deles*: e já sentira suas qualidades frias e inertes se esquivando, escorregando entre meus dedos. Os suspensórios de Adolphe, outra noite, no Rendez-vous des Cheminots. *Não eram* roxos. Revi as duas manchas indefiníveis sobre a camisa. E o seixo, o famigerado seixo, a origem de toda essa história: não era... não me lembrava exatamente o que se recusava a ser. Mas não esquecera sua resistência passiva. E a mão do Autodidata; segurara-a e apertara-a um dia na biblioteca e depois me ficara a impressão de que não se tratava exatamente de uma mão. Lembrara-me um grande verme branco, mas também não era isso. E a transparência equívoca do copo de cerveja no Café Mably. Equívocos: eis o que eram os sons, os perfumes, os sabores. Quando nos passavam rapidamente pelo nariz, como lebres assustadas e não lhes prestávamos muita atenção, se poderia acreditar que eram muito naturais e tranquilizadores, se poderia acreditar que havia no mundo um verdadeiro azul, um verdadeiro vermelho, um verdadeiro odor de amêndoa ou de violeta, mas tão logo os retínhamos um instante, esse sentimento de conforto e segurança era substituído por um profundo mal-estar: as cores, os sabores, os odores nunca eram verdadeiros, nunca eram simplesmente eles mesmos e nada mais do que eles mesmos. A qualidade mais simples, a mais indecomponível, encerrava um excesso em si mesma, em relação a si mesma, em seu âmago. Aquele preto, junto de meu pé, não parecia ser preto, mas o esforço confuso para imaginar o preto de parte de alguém que nunca tivesse visto a cor preta e que não tivesse sabido se deter, que tivesse imaginado um ser ambíguo para além das cores. Aquilo se assemelhava a uma cor, mas também... a uma equimose ou ainda a uma secreção, a uma suarda — e a outra coisa, um odor, por exemplo, aquilo se fundia em odor de terra molhada, de madeira morna e molhada, em odor preto espalhado como um verniz sobre aquela madeira vigorosa, em sabor de fibra mascada, adocicada. Eu não me limitava a *ver* aquele preto: a visão é uma invenção abstrata, uma ideia esvaziada, simplificada, uma ideia de homem. Aquele preto, presença amorfa e tíbia, excedia de longe a visão, o olfato e o gosto. Mas essa riqueza se transformava em confusão e finalmente aquilo já não era nada porque era demais.

    Esse momento foi extraordinário. Estava ali, imóvel e gelado, mergulhado num êxtase horrível. Mas, no próprio âmago desse êxtase, algo de novo acabava de surgir; eu compreendia a Náusea, possuía-a. A bem dizer, não me formulava minhas descobertas. Mas creio que agora me seria fácil colocá-las em palavras. O essencial é a contingência. O que quero dizer é que, por definição, a existência não é a necessidade. Existir é simplesmente *estar presente*; os entes aparecem, deixam que os *encontremos*, mas nunca podemos *deduzi-los*. Creio que há pessoas que compreenderam isso. Só que tentaram superar essa contingência inventando um ser necessário e causa de si próprio. Ora, nenhum ser necessário pode explicar a existência: a contingência não é uma ilusão, uma aparência que se pode dissipar; é o absoluto, por conseguinte a gratuidade perfeita. Tudo é gratuito: esse jardim, essa cidade e eu próprio. Quando ocorre que nos apercebamos disso, sentimos o estômago embrulhado, e tudo se põe a flutuar como outra noite no Rendez-vous des Cheminots: é isso a Náusea; é isso que os Salafrários — os do Coteau Vert e os outros — tentam esconder de si mesmos com sua ideia de direito. Mas que mentira pobre: ninguém possui o direito; eles são inteiramente gratuitos, como os outros homens, não conseguem deixar de se sentir demais. E em si mesmos, secretamente, *são demais*, isto é, amorfos e vagos, tristes."

QUESTÕES E TEMAS PARA DISCUSSÃO

1. Como se pode identificar a partir do texto o existencialismo de Sartre?
2. Em que sentido o texto retrata uma situação de "tomada de consciência"?
3. Como se pode interpretar o sentimento de "náusea" do personagem Roquetin?
4. Comente a passagem do texto: "[...] eu compreendia a Náusea, possuía-a".
5. Como se pode entender a partir desse texto a concepção existencialista de liberdade?

LEITURAS SUGERIDAS

Sartre
A náusea, Rio de Janeiro, Nova Fronteira, 1983.
O ser e o nada, Petrópolis, Vozes, 1997.

Sobre Sartre:
Existencialismo e liberdade, de Luiz Damon Santos Moutinho, São Paulo, Moderna, 1995.
Sartre em 90 minutos, de Paul Strathern, Rio de Janeiro, Zahar, 1998.

WITTGENSTEIN

Ludwig Wittgenstein (1889-1951) nasceu em Viena. Seu pai foi um rico industrial e financista austríaco de origem judaica. Tendo herdado uma grande fortuna após a morte do pai, Wittgenstein abriu mão dela, vivendo uma vida simples e frugal. Educado na Áustria e posteriormente na Inglaterra, conheceu Bertrand Russell na Universidade de Cambridge, passando então a dedicar-se à filosofia de tradição analítica que começava a desenvolver-se na Inglaterra do início do século XX. O único livro de filosofia que publicou em vida, o *Tractatus logico-philosophicus* (edição alemã, 1921; edição inglesa, 1922) é uma das obras mais originais no campo da filosofia analítica, consistindo em uma discussão de problemas filosóficos centrais de ontologia, teoria do conhecimento, teoria do significado e ética, através da análise lógica da natureza das proposições da linguagem. Após a publicação do *Tractatus* e de um período em Cambridge, Wittgenstein resolveu abandonar a filosofia. Trabalhou como professor primário no interior da Áustria, como jardineiro em um convento de Viena, como arquiteto na construção de uma casa para sua irmã também em Viena, finalmente voltando a Cambridge como professor. Nesse período afastou-se de suas ideias iniciais do *Tractatus*, desenvolvendo uma nova visão de linguagem não mais voltada para a análise lógica das proposições, mas para "jogos de linguagem", isto é, para a linguagem tal como usada em contextos específicos, por falantes e ouvintes, para fins específicos. A linguagem passa a ser vista então como uma prática social concreta, sendo o significado de termos e expressões linguísticos resultado dessa prática. Daí o famoso lema "o significado é o uso", na verdade uma simplificação do que se encontra no §43 das *Investigações filosóficas*. Wittgenstein deixou muitos escritos inéditos, que vêm sendo editados desde então. Sua principal obra dessa segunda fase é *Investigações filosóficas*, que chegou a preparar para publicação, o que só aconteceu postumamente em 1953.

INVESTIGAÇÕES FILOSÓFICAS
Os jogos de linguagem e a concepção de filosofia

> As *Investigações filosóficas* (*Philosophischen untersuchungen*) reúnem textos escritos por Wittgenstein desde o final da década de 1930 até o final da década de 1940. São parágrafos em que formula questões, discute conceitos, dá exemplos, elabora e reelabora pensamentos, em um estilo aparentemente desordenado, ziguezagueando sobre os mesmos temas. Na introdução ao texto afirma que gostaria de ter escrito uma obra sistemática — o que simplesmente não foi possível —, mas na verdade esse estilo está de acordo com sua concepção de filosofia antiteórica e assistemática, expressando a visão de que o significado não é algo fixo e definitivo, mas se estabelece pelos usos que dele fazemos.
>
> Os parágrafos aqui selecionados contêm a concepção wittgensteiniana de "jogo de linguagem", bem como sua concepção de filosofia, sendo que na verdade ambas são interdependentes. É precisamente na medida em que o significado não é fixo e definitivo que a análise filosófica da linguagem só pode ser elucidativa dos diversos usos de linguagem que fazemos, remetendo o significado dos conceitos filosóficos que nos parecem problemáticos para o seu uso lingüístico concreto, quando então os equívocos e perplexidades deverão se desfazer.

1. Santo Agostinho diz nas *Confissões* (I/8): Quando os adultos nomeavam um objeto qualquer voltando-se para ele, eu o percebia e compreendia que o objeto era designado pelos sons que proferiam, uma vez que queriam chamar a atenção para ele. Deduzia isto, porém, de seus gestos, linguagem natural de todos os povos, linguagem que através da mímica e dos movimentos dos olhos, dos movimentos dos membros e do som da voz anuncia os sentimentos da alma, quando esta anseia por alguma coisa, ou segura, ou repele, ou foge. Assim, pouco a pouco eu aprendia a compreender o que designam as palavras que eu sempre de novo ouvia proferir nos seus devidos lugares, em diferentes sentenças. Por meio delas eu expressava os meus desejos, assim que minha boca se habituara a esses signos.

Nestas palavras temos, ao que parece, uma determinada imagem da essência da linguagem humana, a saber: as palavras da linguagem denominam objetos — as sentenças são os liames de tais denominações. — Nesta imagem da linguagem encontramos as raízes da ideia: toda palavra tem um significado. Este significado é atribuído à palavra. Ele é o objeto que a palavra designa.

Santo Agostinho não fala de uma diferença de espécies de palavras. Quem descreve o aprendizado da linguagem dessa forma, pensa, acredito eu, primeiramente, em substantivos como "mesa", "cadeira", "pão" e em nomes de pessoas. Somente em segundo plano, em nomes de certas atividades e qualidades e nas restantes espécies de palavras como algo que se irá encontrar.

Pense agora no seguinte emprego da linguagem: eu envio alguém às compras. Dou-lhe uma folha de papel onde se encontram os signos: "cinco maçãs vermelhas". Ele leva o papel ao comerciante. Este abre a gaveta sobre a qual está o signo "maçã". Ele procura a palavra "vermelho" numa tabela e encontra defronte a ela uma amostra de cores. Ele diz a sequência dos numerais — suponho que ele a saiba de cor — até à palavra "cinco" e a cada número tira da gaveta uma maçã que tem a cor da amostra: Da mesma forma, operamos com palavras: — "Como ele sabe onde e como deve procurar a palavra 'vermelho' e o que tem que fazer com a palavra 'cinco'?" — Ora, suponho que ele aja conforme descrevi. As explicações encontram um fim em algum lugar. — Qual é o significado da palavra "cinco"? — Aqui não se falou disso mas somente de como a palavra "cinco" é usada.

2. Aquele conceito filosófico de significado é comum em toda representação primitiva do modo como a linguagem funciona. Mas pode-se dizer também que se trata de uma representação de uma linguagem mais primitiva do que a nossa.

Imaginemos uma linguagem para a qual a descrição dada por Santo Agostinho esteja correta: a linguagem deve servir ao entendimento de um construtor A com um ajudante B. A constrói um edifício usando pedras de construção. Há blocos, colunas, lajes e vigas. B tem que lhe passar as pedras na sequência em que A delas precisa. Para tal objetivo, eles se utilizam de uma linguagem constituída das palavras "bloco", "coluna", "laje", "viga". A grita as palavras; — B traz a pedra que aprendeu a trazer ao ouvir esse grito. — Conceba isto como uma linguagem primitiva completa. [...]

7. Na prática do uso da linguagem (v. §2), uma parte grita as palavras, a outra age de acordo com elas; mas na instrução da linguagem vamos encontrar este processo: o aprendiz *dá nome* aos objetos. Isto é, *ele* diz a palavra quando o professor aponta para a pedra. — De fato, vai-se encontrar aqui um exercício ainda mais fácil: o aluno repete as palavras que o professor pronuncia — ambos, processos linguísticos semelhantes.

Podemos imaginar também que todo o processo de uso de palavras em (2) seja um dos jogos por meio dos quais as crianças aprendem sua língua materna. Quero chamar esses jogos de *"jogos de linguagem"*, e falar de uma linguagem primitiva às vezes como de um jogo de linguagem.

E poder-se-ia chamar também de jogos de linguagem os processos de denominação das pedras e de repetição da palavra pronunciada. Pense em certo uso que se faz das palavras em brincadeiras de roda.

Chamarei de "jogo de linguagem" também a totalidade formada pela linguagem e pelas atividades com as quais ela vem entrelaçada.

23. Mas quantas espécies de frases existem? Porventura asserção, pergunta e ordem? — Há *inúmeras* de tais espécies: inúmeras espécies diferentes de emprego do que denominamos "signos", "palavras", "frases". E essa variedade não é algo fixo, dado de uma vez por todas; mas, podemos dizer, novos tipos de linguagem; novos jogos de linguagem surgem, outros envelhecem e são esquecidos. (As mutações da matemática nos podem dar uma *imagem aproximativa* disso.)

A expressão "jogo de linguagem" deve salientar aqui que falar uma língua é parte de uma atividade ou de uma forma de vida.

Tenha presente a variedade de jogos de linguagem nos seguintes exemplos, e em outros:

Ordenar, e agir segundo as ordens —
Descrever um objeto pela aparência ou pelas suas medidas —
Produzir um objeto de acordo com uma descrição (desenho) —
Relatar um acontecimento —
Fazer suposições sobre o acontecimento —
Levantar uma hipótese e examiná-la —
Apresentar os resultados de um experimento por meio de tabelas e diagramas —
Inventar uma história; e ler —
Representar teatro —
Cantar cantiga de roda —
Adivinhar enigmas —
Fazer uma anedota; contar —
Resolver uma tarefa de cálculo aplicado —
Traduzir de uma língua para outra —
Pedir, agradecer, praguejar, cumprimentar, rezar.

— É interessante comparar a variedade de instrumentos da linguagem e seus modos de aplicação, a variedade das espécies de palavras e de frases com o que os lógicos disseram sobre a estrutura da linguagem. (Inclusive o autor do *Tractatus logico-philosophicus*.)

24. Quem não tem clara a variedade dos jogos de linguagem estará inclinado a fazer perguntas como esta: "O que é uma pergunta?" — É isso a constatação de que não sei tal e tal coisa, ou a constatação de que eu desejo que o outro possa me dizer...? Ou é a descrição de meu estado psíquico de incerteza? — E o grito "Socorro!" é uma descrição?

Pense na quantidade de coisas que são chamadas de "descrição": descrição da situação de um corpo por meio de suas coordenadas; descrição de uma expressão facial; descrição de uma sensação táctil; de uma disposição.

Pode-se, naturalmente, substituir a costumeira forma de perguntar por uma constatação ou por uma descrição: "Quero saber se..." ou "Estou em dúvida se..." — com isso não se aproximaram mais os diferentes jogos de linguagem uns dos outros.

A importância de tais possibilidades de transformação, p.ex., de todas as frases afirmativas em frases que se iniciam com a cláusula "Eu penso" ou "Eu creio" (portanto, digamos, em descrições de *minha vida* interior) vai-se mostrar mais claramente em um outro lugar. (Solipsismo.) [...]

65. Aqui nos deparamos com a grande questão que está por trás de todas estas considerações. — É que alguém poderia retorquir: "Você facilita muito a coisa! Você fala de todos os jogos de linguagem possíveis, mas não disse, em nenhum lugar, o que é a essência do jogo de linguagem e, portanto, da linguagem. O que é comum a todos esses processos e os torna uma linguagem ou peças da linguagem. Você se dá de presente, portanto, exatamente a parte da investigação que, a seu tempo, lhe deu as maiores dores de cabeça, a saber: a parte que diz respeito à *forma geral da proposição* e da linguagem."

E isto é verdadeiro. — Ao invés de indicar algo que seja comum a tudo o que chamamos linguagem, digo que não há uma coisa sequer que seja comum a estas manifestações, motivo pelo qual empregamos a mesma palavra para todas — mas são *aparentadas* entre si de muitas maneiras diferentes. Por causa deste parentesco, ou destes parentescos, chamamos a todas de "linguagens". Quero tentar elucidar isto.

66. Observe, p.ex., os processos a que chamamos "jogos". Tenho em mente os jogos de tabuleiro, os jogos de cartas, o jogo de bola, os jogos de combate etc. O que é comum a todos estes jogos? — Não diga: "Tem que haver algo que lhes seja comum, do contrário não se chamariam 'jogos'" — mas *olhe se* há algo que seja comum a todos. — Porque, quando olhá-los, você não verá algo que seria comum a todos, mas verá semelhanças, parentescos, aliás, uma boa quantidade deles. Como foi dito: não pense, mas olhe! — Olhe, p.ex., os jogos de tabuleiro com seus variegados parentescos. Passe agora para os jogos de cartas: aqui você encontra muitas correspondências com aquela primeira classe, mas muitos traços comuns desaparecem, outros se apresentam. Se passarmos agora para os jogos de bola, veremos que certas coisas comuns são mantidas, ao passo que muitas se perdem. — Prestam-se todos eles ao "entretenimento"? Compare o xadrez com o ludo. Ou há, por toda parte, ganhar e perder, ou uma concorrência dos jogadores? Pense nas paciências. Nos jogos de bola há ganhar e perder; mas, se uma criança atira a bola contra a parede e a agarra novamente, neste caso este traço desapareceu. Veja que papel desempenham habilidade e sorte. E quão diferente é habilidade no jogo de xadrez

e habilidade no jogo de tênis. Pense agora nas brincadeiras de roda: aqui se encontra o elemento de entretenimento, mas quantos dos outros traços característicos desapareceram! E assim podemos percorrer os muitos, muitos outros grupos de jogos, ver as semelhanças aparecerem e desaparecerem.

E o resultado desta observação é: vemos uma complicada rede de semelhanças que se sobrepõem umas às outras e se entrecruzam. Semelhanças em grande e em pequena escala.

67. Não posso caracterizar melhor essas semelhanças do que por meio das palavras "semelhanças familiares"; pois assim se sobrepõem e se entrecruzam as várias semelhanças que existem entre os membros de uma família: estatura, traços fisionômicos, cor dos olhos, andar, temperamento etc., etc. — E eu direi: os "jogos" formam uma família.

Do mesmo modo formam uma família, p.ex., as espécies de números. Por que chamamos algo de "número"? Ora, talvez porque tem um-direto-parentesco com alguma coisa que até agora se chamou de número; e pode-se dizer que através disso adquire um parentesco com uma outra coisa que também chamamos assim. E alargamos nosso conceito de número do mesmo modo que, ao tecermos um fio, traçamos fibra por fibra. E a robustez do fio não consiste em que uma fibra qualquer perpasse toda sua extensão, mas em que muitas fibras se sobreponham umas às outras.

Mas, se alguém quisesse dizer: "Há, portanto, algo comum a essas construções todas — a saber: a disjunção de todas essas propriedades comuns" — eu responderia então: aqui você joga com uma palavra apenas. Poder-se-ia dizer, igualmente, algo perpassa o fio todo, — a saber, a sobreposição sem falhas dessas fibras. [...]

89. Com estas reflexões, estamos lá onde o problema está: Até que ponto a lógica é algo sublime?

Pois parecia competir-lhe uma profundidade especial — um significado geral. Parecia que ela estava na base de todas as ciências. — É que a reflexão lógica investiga a essência de todas as coisas. Ela quer ver as coisas em seu fundamento e não deve se preocupar se o acontecimento real é deste ou daquele modo. — Ela não emerge de um interesse por fatos da natureza nem da necessidade de apreender conexões causais, mas de uma aspiração por compreender o fundamento ou a essência de tudo que é empírico. Não que para isto devêssemos rastrear fatos novos: para nossa investigação é muito mais essencial que não queiramos aprender nada novo com ela. Queremos *compreender* algo que já está aberto diante de nossos olhos. Porque, em um certo sentido, é isto que parecemos não compreender.

Santo Agostinho diz (*Conf.* XI/14): "O que é o tempo? Se alguém me pergunta, eu sei; se alguém me pede para explicar, não sei." — Não daria para dizer isto de uma questão da ciência da natureza (p.ex., da questão acerca do peso específico do hidrogênio). Aquilo que sabemos, se ninguém nos pergunta, mas que já não sabemos mais, se devemos explicá-lo, é algo de que devemos nos lembrar. (E, obviamente, é algo de que, por um motivo qualquer, dificilmente nos lembramos.)

90. É como se tivéssemos que penetrar os fenômenos: mas nossa investigação não se dirige aos fenômenos, e sim, como poderia dizer, às "possibilidades" dos fenômenos. Isto quer dizer que meditamos sobre a espécie de asserções que fazemos sobre os fenômenos. Daí que também Santo Agostinho medita sobre as diferentes asserções feitas sobre a duração dos acontecimentos, sobre o seu passado, o seu presente ou o seu futuro. (Estas não são, naturalmente, asserções *filosóficas* sobre o tempo, passado, presente e futuro.)

Por isso nossa reflexão é uma reflexão gramatical. E esta reflexão ilumina o nosso problema, removendo mal-entendidos. Mal-entendidos que dizem respeito ao uso de palavras, provocados, entre outras coisas, por certas analogias entre as formas de expressão em diversas áreas de nossa linguagem. — Alguns podem ser eliminados, substituindo-se uma forma de expressão por outra; a isto se pode chamar "análise" de nossas formas de expressão, porque o processo se assemelha muitas vezes a uma decomposição.

91. Mas isto pode dar agora a impressão de que existe algo assim como uma última análise de nossas formas de linguagem, portanto, *uma* forma de expressão perfeitamente decomposta. Quer dizer: como se as nossas formas usuais de expressão ainda não estivessem analisadas em sua essência, como se nelas houvesse algo oculto que deve ser trazido à luz. Se isto aconteceu, então a expressão está esclarecida e nossa tarefa resolvida.

Isto pode ser dito também da seguinte forma: nós eliminamos mal-entendidos ao tomarmos nossa expressão mais exata: pode parecer, no entanto, que aspiramos a um estado determinado, à exatidão perfeita; e que isto é a meta propriamente dita da nossa investigação.

92. Isto expressa-se na questão acerca da essência da linguagem, da proposição, do pensamento. — Pois, se com nossas investigações também almejamos compreender a essência da linguagem — sua função, sua estrutura —, por certo não é bem isso o que esta questão tem em vista. Pois ela não vê, na essência, algo que já está abertamente manifesto e que se torna visível em seu conjunto mediante organização. Mas é algo que se situa sob a superfície. Algo que se situa no interior, algo que vemos quando penetramos a coisa, algo que cabe à análise desenterrar.

"A essência nos é oculta": eis a forma que nosso problema assume agora. Nós perguntamos: "O que é a linguagem?" "O que é a proposição?" E a resposta a estas questões deve ser dada de uma vez por todas e independente de qualquer experiência ulterior. [...]

109. Certo era que nossas reflexões não podiam ser reflexões científicas. A experiência de "que se pode pensar isto ou aquilo em oposição a nosso preconceito" — não importa o que significa — não nos podia interessar. (A concepção pneumática do pensar.) E não nos é permitido levantar qualquer teoria. Não é permitido haver nada de hipotético em nossas reflexões. Toda explicação tem que sair e em seu lugar entrar apenas descrição. E esta descrição recebe sua luz, isto é, seu objetivo, dos problemas filosóficos. Estes, sem dúvida, não são empíricos, mas são resolvidos por um exame do funcionamento de nossa linguagem, ou seja, de modo que este seja reconhecido: em *oposição* a uma tendência de compreendê-lo mal. Estes problemas não são solucionados pelo ensino de uma nova experiência, mas pela combinação do que de há muito já se conhece. A filosofia é uma luta contra o enfeitiçamento de nosso intelecto pelos meios de nossa linguagem.

110. "A linguagem (ou o pensar) é algo singular" — isto se revela como uma superstição (não é um erro!), provocada ela mesma por ilusões gramaticais.
E é sobre estas ilusões, sobre estes problemas, que recai o *pathos*.

111. Os problemas, que surgem através de uma má interpretação de nossas formas de linguagem, têm o caráter de profundidade. Trata-se de inquietações profundas. Elas estão arraigadas em nós tão profundamente quanto as formas de nossa linguagem, e seu significado é tão grande quanto a importância de nossa linguagem. — Perguntemo-nos: Por que sentimos que um chiste gramatical é *profundo*? (E esta é a profundidade filosófica.)

112. Um símile, que é absorvido nas formas da nossa linguagem, provoca uma falsa aparência. Esta nos inquieta: "Não é assim!" — dizemos. "Mas tem que *ser assim*!"

113. "É de fato *assim*" — digo sempre de novo para mim mesmo. Sinto que, se eu fosse capaz de ajustar o meu olhar com toda *precisão* neste fato e conseguisse pô-lo em foco, eu teria que aprender a essência da coisa.

114. *Tractatus logico-philosophicus* 4.5: "A forma geral da proposição é: as coisas estão assim e assim". — Esta é uma proposição da espécie que se repete inúmeras vezes. Acredita-se estar indo sempre de novo atrás da natureza, e vai-se apenas ao longo da forma pela qual nós a contemplamos.

115. Uma *imagem* mantinha-nos prisioneiros. E não podíamos escapar, pois ela residia em nossa linguagem, e esta parecia repeti-la para nós, inexoravelmente.

116. Quando os filósofos usam uma palavra — "saber", "ser", "objeto", "eu", "proposição", "nome" — e almejam apreender a *essência* da coisa, devem sempre se perguntar: esta palavra é realmente sempre usada assim na linguagem na qual tem o seu torrão natal? —

Nós reconduzimos as palavras do seu emprego metafísico de volta ao seu emprego cotidiano.

117. Alguém me diz: "Você entende esta expressão? Ora, — também eu a uso no significado que você conhece." — Como se o significado fosse uma penumbra que acompanha a palavra e é transferida para todos os seus empregos.

Se alguém, por exemplo, diz que a proposição "Isto está aqui" (apontando para um objeto diante de si) tem sentido para ele, então ele poderia perguntar-se em que condições específicas se emprega realmente esta proposição. Nestas é que ela tem sentido.

118. Donde tira a reflexão sua importância, uma vez que ela parece apenas destruir tudo que é interessante, isto é, tudo que é grande e importante? (Por assim dizer, todos os edifícios, deixando sobrar apenas blocos de pedra e entulho.) Mas o que destruímos não passa de castelos no ar, e pomos a descoberto o fundamento da linguagem sobre o qual eles estavam.

119. Os resultados da filosofia são a descoberta de um absurdo simples qualquer e as mossas que o intelecto arranjou ao bater contra o limite da linguagem. Elas, as mossas, fazem-nos reconhecer o valor daquela descoberta.

120. Quando falo sobre linguagem (palavra, proposição etc.), tenho que falar a linguagem do dia a dia. É esta linguagem, porventura, muito grosseira, material, para o que desejamos dizer? *E como é que se forma uma outra*? E como é estranho que ainda possamos fazer alguma coisa com a nossa!

O fato de eu, nas minhas explicações que tangem à linguagem, ter que empregar a linguagem plena (não uma linguagem preparatória, provisória), já mostra que acerca da linguagem só posso aduzir exterioridades.

Sim, mas então como podem satisfazer-nos estas explicações? — Ora, as suas perguntas também já estavam formuladas nesta linguagem; elas tinham que ser expressas nesta linguagem quando havia algo para perguntar!

E os teus escrúpulos são mal-entendidos.

As tuas perguntas referem-se a palavras; deste modo, tenho que falar de palavras.

Diz-se: O que importa não é a palavra mas o seu significado; e pensa-se no significado como se pensa numa coisa do gênero da palavra, se bem que diferente da palavra. Aqui está a palavra, aqui o significado. O dinheiro e a vaca, que com ele se pode comprar. (Mas, por outro lado: o dinheiro e sua utilização.)

121. Poder-se-ia pensar: se a filosofia fala acerca do uso da palavra "filosofia", teria quer haver então uma filosofia de segunda ordem. Mas não é assim; este caso corresponde, antes, ao caso da ortografia, que tem a ver também com a palavra "ortografia", mas nem por isso é de segunda ordem.

122. Uma das principais fontes de nossa falta de compreensão é que não *dominamos com uma clara visão* o uso de nossas palavras. — Falta à nossa gramática uma disposição clara. Uma exposição de conjunto transmite a compreensão, que consiste exatamente em "ver conexões". Daí a importância de se achar e de se inventar *conectivos*.

O conceito de exposição de conjunto tem para nós um significado fundamental. Ele designa nossa forma de exposição, a maneira de vermos as coisas. (É isto uma "visão do mundo"?)

123. Um problema filosófico tem a forma: "Não estou por dentro."

124. A filosofia não deve, de forma alguma, tocar o uso real da linguagem; o que pode, enfim, é apenas descrevê-lo.

Pois ela também não pode fundamentá-lo.

Ela deixa tudo como é.

Ela deixa também a matemática como é, e nenhuma descoberta matemática pode fazê-la avançar. Um "problema preponderante da lógica matemática" é para nós um problema da matemática como qualquer outro.

125. Não é tarefa da filosofia solucionar a contradição por meio de uma descoberta matemática, lógico-matemática. Mas tomar visível em seu conjunto a situação da matemática que nos inquieta, o estado *antes* da solução da contradição. (E com isso não se esquiva de uma dificuldade.)

O fato fundamental é aqui: fixamos regras, uma técnica, para um jogo, e então, ao seguirmos as regras, as coisas não funcionam tão bem como havíamos suposto; portanto, nós nos enleamos, por assim dizer, em nossas próprias regras.

Este enlear-se nas próprias regras é o que queremos entender, i.e., queremos abarcá-lo com a vista.

Ele lança uma luz em nosso conceito de ter-em-mente. Pois ele é, naqueles casos, diferente do que tínhamos em mente e tínhamos previsto. Quando surge a contradição, dizemos, p.ex.: "Não foi assim que o tive em mente."

O estado civil da contradição, ou o seu estado no mundo civil: este é o problema filosófico.

126. A filosofia de fato simplesmente expõe tudo e não esclarece, nem deduz nada. — Uma vez que tudo se encontra em aberto, não há também nada para esclarecer. Pois o que porventura está oculto não nos interessa.

Poder-se-ia chamar também "filosofia" o que é possível antes de todas as novas descobertas e invenções.

127. O trabalho do filósofo é compilar recordações para uma determinada finalidade.

128. Se, por acaso, se quisesse levantar teses em filosofia, jamais se poderia chegar a discuti-las, porque todos estariam de acordo com elas.

129. Os aspectos das coisas que consideramos ser os mais importantes estão ocultos por sua simplicidade e trivialidade. (Não se é capaz de notar isto — porque o temos sempre diante dos olhos.) Os fundamentos reais de sua investigação não chamam a atenção do homem. A não ser que isto lhe tenha chamado a atenção alguma vez. — E isto quer dizer: aquilo que, uma vez visto, se constitui em o mais surpreendente e o mais forte, não nos chama a atenção.

130. Nossos jogos de linguagem claros e simples não são estudos preparatórios para uma regulamentação futura da linguagem — não são, por assim dizer, aproximações preliminares, sem levar em conta o atrito e a resistência do ar. Os jogos de linguagem estão aí muito mais como objetos de comparação, os quais, por semelhança e dessemelhança, devem lançar luz nas relações de nossa linguagem.

131. Seremos capazes de escapar da injustiça ou do vazio de nossas asserções, somente na medida em que consideramos o modelo como aquilo que é, como objeto de comparação — por assim dizer, como medida; e não como preconceito ao qual a realidade tem que corresponder. (O dogmatismo, em que caímos tão facilmente ao filosofar.) 99

QUESTÕES E TEMAS PARA DISCUSSÃO

1. O que é para Wittgenstein um "jogo de linguagem"?
2. Como se pode entender o significado de uma palavra ou expressão a partir da consideração dos jogos de linguagem?
3. Comente os exemplos de jogos de linguagem que Wittgenstein apresenta no §23 das *Investigações filosóficas*.
4. Como se pode interpretar a seguinte afirmação de Wittgenstein: "a filosofia é uma luta contra o enfeitiçamento do nosso entendimento pelos meios da nossa linguagem" (*Investigações filosóficas*, §109)?

5. Comente a concepção wittgensteiniana de filosofia como análise da linguagem segundo a afirmação: "Nós reconduzimos as palavras de seu emprego metafísico para seu emprego cotidiano" (*Investigações filosóficas*, §116).

LEITURAS SUGERIDAS

Wittgenstein

Tractatus logico-philosophicus, São Paulo, Edusp, 1993.
Investigações filosóficas, Petrópolis, Vozes, 2.ed., 1996.

Sobre Wittgenstein:
Wittgenstein, de Christiane Chauviré, Rio de Janeiro, Zahar, 1991.
Dicionário Wittgenstein, de Hans-Johann Glock, Rio de Janeiro, Zahar, 1997.
Wittgenstein em 90 minutos, de Paul Strathern, Rio de Janeiro, Zahar, 1997.
Wittgenstein, linguagem e filosofia, de Warren Schiller, São Paulo, Cultrix, 1975.
Iniciação ao silêncio, de Paulo Margutti, São Paulo, Loyola, 1998.

Referências dos textos e traduções

Parmênides
As duas vias: Fragmentos 1-8, in *Os filósofos pré-socráticos*, org. por Gerd Bornheim, São Paulo, Cultrix, 7.ed., 1993, p.54-6, tradução de Gerd Bornheim. (*Reprodução autorizada*)

Heráclito
O mobilismo: Fragmentos, tradução de Danilo Marcondes.

Platão
O papel do filósofo: *Apologia de Sócrates*, 38a-42a, tradução de Pedro Süssekind.
Sócrates e as leis de Atenas: *Críton*, 50a-51c; 54b-e, tradução de Pedro Süssekind.
O mito de Epimeteu: *Protágoras,* 320c-323c, tradução de Pedro Süssekind.
O amor: *O banquete*, 203b-204d; 210a-212c, tradução de Pedro Süssekind.
A reminiscência: *Mênon*, 80c-85d, tradução de Pedro Süssekind.
A Alegoria da Caverna: *A República*, 514a-517c, tradução de Lucy Magalhães.

Aristóteles
O conhecimento: *Metafísica*, I, 1, 980a-982a, tradução de Marcus Penchel.
A filosofia: *Metafísica*, I, 2, 982a-983a, tradução de Marcus Penchel.
Crítica aos platônicos: *Metafísica*, I, 6, 987a-988a, tradução de Marcus Penchel.
A virtude é um hábito: *Ética a Nicômaco*, II, 1, 103a-103b, tradução de Mário da Gama Kury. (*Reprodução autorizada*)
A natureza da alma: *Tratado da alma*, I, 1, 402a-403b, tradução de Danilo Marcondes.

O homem é um animal político: *Política*, I, 2, 253a9-253a12, tradução de Danilo Marcondes.

Santo Agostinho
A cristianização do platonismo: *Confissões*, VII, 20 e 21, tradução de Danilo Marcondes
O problema do mal: *Confissões*, VII, 12-3, tradução de Danilo Marcondes.

São Tomás de Aquino
As cinco vias da existência de Deus: *Suma teológica*, I, questão 2, arts. 1, 2 e 3, tradução de Danilo Marcondes.

Descartes
Das coisas que se podem colocar em dúvida: *Meditações metafísicas*, I, 1-6, 9, 10, 12, in *Obras escolhidas*, Rio de Janeiro, Bertrand Brasil, 3.ed., 1994, p.117-22, tradução de J. Guinsburg e Bento Prado Júnior. (*Reprodução autorizada*)
O argumento do cogito: *Meditações metafísicas*, II, 1-7, in op.cit., p.124-26. (*Reprodução autorizada*)
A formação do filósofo: *Discurso do método*, I-II, tradução de Marcus Penchel.
As regras do método: *Discurso do método*, II, tradução de Marcus Penchel.
A moral provisória: *Discurso do método*, III, tradução de Marcus Penchel.

Spinoza
De Deus: *Ética*, I, tradução de André Telles.
Da servidão humana: *Ética*, IV, tradução de André Telles.

Rousseau
A origem da sociedade: *Discurso sobre a origem e os fundamentos da desigualdade humana*, II, tradução de André Telles.

Hume
Sobre a identidade pessoal: *Tratado sobre a natureza humana*, I, parte IV, seção VI, tradução de Danilo Marcondes.
Da origem das ideias: *Uma investigação sobre o entendimento humano*, II, tradução de Pedro Süssekind.
Da associação de ideias: *Uma investigação sobre o entendimento humano*, III, tradução de Pedro Süssekind.
A causalidade: *Uma investigação sobre o entendimento humano*, IV, tradução de Pedro Süssekind.

Kant

A filosofia crítica: *Crítica da razão pura*, Prefácio à 2.ed., tradução de Valério Rohden.

O conhecimento: *Crítica da razão pura*, Introdução, tradução de Valério Rohden.

O imperativo categórico: *Fundamentação da metafísica dos costumes*, II, tradução de Valério Rohden.

Hegel

A dialética do senhor e do escravo: in *Fenomenologia do espírito*, IV-A, Petrópolis, Vozes, 1992, p.126-34, tradução de Paulo Meneses (com a colaboração de Karl-Heinz Efken). (*Reprodução autorizada*)

Marx e Engels

A crítica à ideologia: *A ideologia alemã*, Prefácio, tradução de Pedro Süssekind.

Nietzsche

Sobre a verdade e a mentira em um sentido "extramoral", tradução de Cláudia Cavalcanti.

Dos preconceitos dos filósofos: in *Além do bem e do mal*, I, §2 e 4, São Paulo, Companhia das Letras, 2.ed., 1998, p.10-2, tradução de Paulo César de Souza. (*Reprodução autorizada*)

O super-homem: Prefácio a *Assim falou Zaratustra*, in *O "Zaratustra" de Nietzsche*, Rio de Janeiro, Zahar, 1991, p.17-9, tradução de Ivo Barroso.

Heidegger

Que é isto — a filosofia?: in *Que é isto — a filosofia?*, São Paulo, Duas Cidades, 2.ed., 1978, p.24-33, tradução de Ernildo Stein. (*Reprodução autorizada*)

A verdade: in *Ser e tempo*, §44, Petrópolis, Vozes, 5.ed., 1995, p.281-8, tradução de Márcia de Sá Cavalcante. (*Reprodução autorizada*)

Sartre

O absurdo e a existência: in *A náusea*, Rio de Janeiro, Nova Fronteira, 6.ed., 1986, p.187-94, tradução de Rita Braga. (*Reprodução autorizada*)

Wittgenstein

Os jogos de linguagem e a concepção de filosofia: in *Investigações filosóficas*, I, Petrópolis, Vozes, 2.ed., 1996, p.15-6, 18-9, 26-8, 51-3, 64-6, 71-6, tradução de Marcos G. Montagnoli. (*Reprodução autorizada*)

1ª EDIÇÃO [1999]
2ª EDIÇÃO [2007]
15ª REIMPRESSÃO [2024]

ESTA OBRA FOI COMPOSTA POR LETRA E IMAGEM EM MINISTER E FRUTIGER
E IMPRESSA EM OFSETE PELA GRÁFICA PAYM SOBRE PAPEL ALTA ALVURA
DA SUZANO S.A. PARA A EDITORA SCHWARCZ EM FEVEREIRO DE 2024

FSC
www.fsc.org
MISTO
Papel produzido
a partir de
fontes responsáveis
FSC® C133282

A marca FSC® é a garantia de que a madeira utilizada na fabricação do papel deste livro provém de florestas que foram gerenciadas de maneira ambientalmente correta, socialmente justa e economicamente viável, além de outras fontes de origem controlada.